Guide des longs séjours

Isabelle Chagnon et Lio Kiefer

Une clé d'or ouvre toutes les portes.
- proverbe allemand

ULYSSE

Le plaisir de mieux voyager

Auteurs
Isabelle Chagnon
Lio Kiefer

Directeur des éditions
Olivier Gougeon

Adjoint à l'édition
Pierre Ledoux

Correcteurs
Pierre Daveluy
Marie-Josée Guy

Infographistes
Pascal Biet
Marie-France Denis
Philippe Thomas

Cartographe
Julie Brodeur

Photographies
page couverture
© Thinkstock LLC
2ᵉ de couverture
Golden Gate Bridge, San Francisco, États-Unis: © PhotoDisc
Parque Nacional Torres del Paine, Chili: © Iconotec
Las Terrenas, République dominicaine: © Iconotec
3ᵉ de couverture
Florence, Italie: © PhotoDisc
Hammamet, Tunisie: © Rfoxphoto | Dreamstime.com
Taj Mahal, Agra, Inde: © PhotoDisc
Opéra de Sydney, Sydney, Australie: © PhotoDisc

Remerciements
Merci à Taïna, pour ta patience, ton univers et ton souffle, et pour nous avoir inspiré au fil de la concrétisation de ce projet. - Les auteurs

Les Guides de voyage Ulysse reconnaissent l'aide financière du gouvernement du Canada par l'entremise du Programme d'aide au développement de l'industrie de l'édition (PADIÉ) pour leurs activités d'édition.

Les Guides de voyage Ulysse tiennent également à remercier le gouvernement du Québec – Programme de crédit d'impôt pour l'édition de livres – Gestion SODEC.

Catalogage avant publication de Bibliothèque et Archives nationales du Québec et Bibliothèque et Archives Canada

Chagnon, Isabelle, 1967-
      Guide des longs séjours
      (Guide de voyage Ulysse)
      Comprend un index.
      ISBN 978-2-89464-791-2

      1. Voyages - Guides. I. Kiefer, Lio, 1954- . II. Titre. III. Collection.
G151.C42 2007   910.2'02   C2007-940922-9

© Guides de voyage Ulysse inc.
Tous droits réservés
Bibliothèque et Archives nationales du Québec
Dépôt légal – Quatrième trimestre 2007
ISBN 978-2-89464-791-2
Imprimé au Canada

Sommaire

Introduction

Objectifs de ce guide

Jadis l'apanage des missionnaires, des grands explorateurs ou encore du personnel infirmier et des médecins dévoués à la cause humanitaire internationale, les longs séjours à l'étranger font de plus en plus d'adeptes, avec ou sans la vocation, et font de plus en plus partie du carnet de projets de ceux qui ont goûté à la partance vers d'autres cieux, et qui voient leurs lendemains sous le signe de la retraite ou de la sabbatique comme autant de jours propices à la découverte du monde et de ses curiosités magnifiques.

Certains définissent le long séjour comme étant un séjour de plus de trois mois à l'étranger. D'autres, notamment les voyagistes, lui attribuent l'appellation du moment que sa durée atteint trois ou quatre semaines. Quatre, huit ou 18 semaines, retenons qu'en pratique le long séjour, comparativement au court séjour, appelle davantage le voyageur à l'immersion et à l'adaptation.

Car un voyageur qui séjourne pour une longue durée dans un pays étranger, non seulement n'entre plus dans la catégorie «touriste», mais encore il se doit d'adopter un comportement s'apparentant à celui de l'immigré. S'il est souhaitable qu'un touriste étudie et adopte le plus possible les us et coutumes du pays visité, cela est non seulement encore plus vrai pour le «long voyageur», mais impératif voire inévitable pour qu'il réussisse son séjour. On ne consomme pas un long séjour de la même manière que l'on consomme un court séjour. Le «long voyageur» est plus susceptible de s'aventurer en dehors des sentiers battus, plus susceptible aussi de se retrouver en milieu rural, de côtoyer davantage les populations locales, etc.

Aussi, au moment des préparatifs, le «long voyageur» ne planifie pas son séjour de la même manière, pour la simple raison qu'il n'est pas appelé à faire les mêmes choix. De façon générale, comparativement au «touriste de passage» ou «court-séjouriste», le «long-séjouriste» ne logera pas dans le même type d'établissement d'hébergement, ne fréquentera pas, au fil du temps, les mêmes endroits, ne s'alimentera pas de la même façon et, inévitablement, n'établira pas non plus les mêmes repères à destination.

Cela dit et pour toutes ces raisons, ce *Guide Ulysse des longs séjours* se fixe les deux objectifs suivants. Le premier est d'outiller les personnes qui envisagent d'effectuer un séjour de plusieurs semaines ou de plusieurs mois à l'étranger. Comment prépare-t-on son long séjour? Quels choix doit-on faire? Comment savoir si la destination sélectionnée pour y «vivre» sur une longue période correspond, même avec ses différences, à ma personnalité ou encore à mes attentes? Enfin: Comment s'installe-t-on dans une destination?.

Le second objectif est de présenter les impacts qu'engendre un long séjour à l'étranger, impacts aussi bien sur le voyageur lui-même et selon plusieurs facteurs, que sur la population locale qui accueille ce «long voyageur».

Le *Guide Ulysse des longs séjours* renferme également une foule de conseils pratiques à déguster et à digérer sur place, durant son long séjour à l'étranger. Aussi, le guide aborde et décortique les destinations dans le monde qui sont, d'une part, celles actuellement privilégiées par la clientèle adepte des longs séjours, et d'autre part celles qui proposent des produits et des services pour les voyageurs de longue durée.

Pourquoi un *Guide Ulysse des longs séjours?*

Parce que, bien qu'ils aient déjà goûté pour la plupart aux plaisirs des voyages dans le passé, les futurs «long-séjouristes» qui planifient une telle aventure ont, pour plusieurs, ce point en commun: quelque temps avant le départ, soudainement, ils ont la frousse! Pas nécessairement peur de l'avion, pas précisément peur de quitter son *Home Sweet Home*, pas particulièrement peur d'être en sol inconnu, pas spécialement peur d'être seuls... Le facteur temps, tout simplement, provoque tout à coup des papillons dans l'estomac... Un mélange de fébrilité et d'anxiété devant la longue aventure à venir, que ce guide ne tentera pas d'atténuer, au contraire, mais plutôt d'exploiter.

Un tel guide également parce que le marché des longs séjours de type touristique (et non pour des raisons professionnelles) est une manne pour plusieurs ministères et offices du tourisme, voyagistes et agences. Par conséquent, de plus en plus de destinations – de la Tunisie à l'Arizona en passant par Cuba – flairent la bonne affaire et décident de s'afficher «destination long séjour».

Rien de scientifique, que de la mathématique: ce marché est perçu comme étant une nouvelle opportunité d'affaires parce qu'il est payant. Pour une destination touristique, il est plus alléchant d'accueillir des visiteurs qui dépenseront et consommeront pendant trois mois plutôt que pendant deux semaines.

Ce marché est aussi plus intéressant parce que la clientèle «long-séjouriste» est tout simplement au rendez-vous. On explique cette courbe de croissance par plusieurs facteurs: augmentation du temps alloué aux loisirs et à la détente, hausse d'intérêt pour les voyages, rajeunissement des préretraités et retraités – soit des personnes ayant beaucoup de temps libre devant elles – et augmentation de l'âge où les conditions physique et mentale permettent à la fois les déplacements planétaires et la découverte de nouveaux horizons.

Cela dit, le marché des longs séjours provoque actuellement la mise en place et l'orchestration de son industrie. Des événements destinés aux «longs voyageurs» voient ainsi le jour (des Salons voyages pour retraités aux regroupements de membres pour échanger sur le sujet), les hôteliers convertissent de plus en plus de chambres et suites en appartements et en résidences hôtelières, les fournisseurs de produits de voyage négocient davantage d'ententes pour des séjours à long terme, Internet implose de portails, moteurs, sites et blogs qui portent sur les longs séjours, etc.

Pourquoi un *Guide Ulysse des longs séjours*? Pour faire de plus amples connaissances avec un nouvel art de vivre, mais aussi en tirer le meilleur profit.

Trousse de premières ressources

Pour partir averti, pour des conversations de salon plus dynamiques et évolutives, pour être au courant, pour voyager intelligemment...

Amnesty International
www.amnesty.org
Défense des droits humains dans le monde.

Association réformatrice des homosexuel(le)s et de leurs amis
http://cf.geocities.com/be_hr/hrlasileb.htm
Droit et homosexualité dans le monde.

Canadian Snowbird Association
www.snowbirds.org
www.snowbirdextravaganza.com
Organisation à but non lucratif qui défend les droits et privilèges des voyageurs canadiens. Elle organise également le Snowbird Extravaganza, un salon pour les retraités voyageurs.

Convertisseurs de devises étrangères
www.bankofcanada.ca/fr/taux/convertisseur.html
http://fr.finance.yahoo.com/convertisseur
www.xe.com/fr

Beyond Borders/Au delà des frontières
www.beyondborders.org
Justice canadienne et internationale pour les enfants victimes d'activités sexuelles.

Doctissimo
www.doctissimo.fr
Site médical à portée de tous, partout sur la planète.

Droits des femmes dans le monde
www.fraternet.com/femmes

Earthcam
www.earthcam.com
Webcams dans le monde.

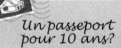

Un passeport pour 10 ans?

La Canadian Snowbird Association annonce exercer une pression sur les pouvoirs publics en vue d'obtenir que le gouvernement canadien étende la période de validité du passeport de 5 à 10 ans. Également, l'association souhaite qu'un rabais soit offert au moment du renouvellement du passeport.

ECPAT International
www.ecpat.net
Organisation combattant la pornographie et la prostitution juvénile ici et ailleurs.

Gap Year
www.esl.ch/fr/stage-linguistique-etranger.htm
Programme destiné à ceux qui désirent partir à l'étranger pour vivre une expérience en immersion active avec plusieurs mois à disposition, et ayant pour but la maîtrise d'une langue étrangère. Bureaux notamment en France et en Suisse.

GapYear.com
www.gapyear.com
Témoignages, conseils et pistes pour différentes motivations de voyage: du tour du monde au long séjour linguistique, en passant par le long périple à caractère humanitaire.

Gap-Year.com
www.gap-year.com
Conseils et ressources pour ceux qui souhaitent prendre une année sabbatique pour voyager.

Gay Travel News
www.gaytravelnews.com
Informations sur les voyages et les vacances pour les gays et lesbiennes.

Info-aînés Canada
www.seniors.gc.ca

La faim dans le monde – Le droit à l'alimentation
www.droitshumains.org/alimentation/4_etatlieux.htm

Météo internationale et météo des plages
www.meteomedia.com
www.tv5.org/TV5Site/meteo/meteo_plage.php
Prévisions météo dans le monde.

Organisation Mondiale du Tourisme
www.world-tourism.org

Pour un tourisme responsable
www.abm.fr/pratique/deontol.html

Répertoire en écotourisme
www.ecotourdirectory.com
Liste d'organismes d'écotours et de voyagistes pro-écotourisme.

Road Warrior Tips
www.roadwarriortips.com
Blog voyage pour les internautes qui voyagent sur de longues périodes.

Salon des Baby Boomers Plus
Rendez-vous à Montréal, Québec; pour connaître les dates:
www.salondesbabyboomersplus.com

Tourisme-Durable.net
www.tourisme-durable.net
Tourisme, éthique, environnement et développement durable.

TravelVacs
www.travelvacs.ca
Information sur les précautions à prendre à l'étranger et les vaccins.

Unicef
www.unicef.org
Situation des enfants dans le monde.

Voyage Forum
www.voyageforum.com
Site d'échanges et de discussions sur les voyages, notamment les longs séjours à l'étranger.

Voyagez.com
http://voyagez.branchez-vous.com

Partir à l'étranger pour un long séjour: est-ce pour moi?

« Long-séjourner» à l'étranger implique deux choses: **1-** s'extrai-re de sa vie quotidienne pour un bon bout de temps – son domicile, son quartier et sa ville, sa famille, ses amis, sa rou-tine, son pays, parfois sa langue, assurément ses points de repère; **2-** vivre dans un environnement nouveau qui, à défaut d'être hostile, est très différent du sien au quotidien (hygiène, habitudes de vie et d'achat, nourriture et entreposage des aliments, climat, rapports hom-mes-femmes, rapports parents-enfants, etc.). Suis-je prêt pour ce type d'aventure? Ai-je le profil du «long-séjouriste»? Pourrais-je m'épanouir dans ce nouveau cadre de vie? La formule «long séjour» est-elle pour moi? Pour le savoir, quelles sont les questions à me poser? Surtout, quelles sont les réponses qui m'indiqueront que je suis une personne potentiellement désignée pour m'installer à l'étranger durant plu-sieurs semaines ou plusieurs mois? Ce chapitre propose des pistes et des repères.

Qui est le «long-séjouriste»?

En plus d'être en voie de propagation, le «long-séjouriste» (aussi souvent appelé *snowbird* ou «touriste hivernal») est d'emblée un individu de nature voyageuse. Il est de plus en plus éduqué et instruit, son âge moyen baisse avec les années (la majorité autour de 55 ans), et il est déjà initié aux voyages, ce qui lui fait d'ailleurs rêver, maintenant, de s'établir pour une plus longue période dans un pays étranger.

Qu'est-ce en général un voyageur? C'est quelqu'un qui s'en va chercher un bout de conversation au bout du monde.
- Jules Barbey D'Aurevilly

Le «long-séjouriste» mesure aussi son temps en termes de liberté. En effet, il a beaucoup de temps libre devant lui, du moins le temps qu'il veut accorder au long séjour qu'il souhaite effectuer. Cette notion de liberté se conjugue également à sa santé physique et mentale. Celle-ci est bonne ou assez bonne pour permettre non seulement d'entreprendre un tel projet, mais aussi de le mener à terme.

Le «long-séjouriste» a au moins une raison qui le motive à s'expatrier en sol étranger pour plusieurs semaines ou plusieurs mois: se reposer ou encore faire une cure de chaleur au milieu de l'hiver, parfois tout cela à la fois ou un ensemble d'autres raisons.

Le «long-séjouriste» est aussi un individu très riche, et son importante fortune personnelle lui permet de prendre des vacances de rêve durant un long laps de temps. FAUX! Certes, le contenu de la tirelire doit pouvoir assumer certaines dépenses fixes et incontournables (ex.: billet d'avion, visa de séjour), mais il est faux de croire que seuls les bien nantis peuvent envisager de séjourner longtemps à l'étranger. Parmi les explications, celles qui attestent que l'on reste dans son quartier ou que l'on séjourne à l'autre bout du monde. Certaines dépenses sont les mêmes et pas systématiquement plus coûteuses – parfois moins, comme la nourriture, les sorties culturelles et le café à la terrasse du coin.

Enfin, le «long-séjouriste» type est un individu tout à fait à l'aise avec l'idée de mettre sa «petite vie» en suspens pour en adopter une autre dans un environnement différent, et ce, durant plusieurs semaines ou plusieurs mois. En d'autres termes, le «long-séjouriste» peut baigner sans gêne et sans appréhension dans de tous nouveaux repères et laisser derrière lui son domicile, sa famille, ses amis et certaines habitudes de vie pour une longue période, et ce, sans angoisser ou même développer une forme inusitée de démangeaison corporelle.

Question maintenant: Votre profil correspond-il à celui-ci?

 L'homme qui s'est construit une maison n'en a qu'une, l'homme qui ne s'en est construit aucune, en a mille. - proverbe indien

Le choix des destinations

L'Australie et la Nouvelle-Zélande constituent les pays par excellence pour ce type de projet, particulièrement auprès des Européens. Plusieurs critères influencent la popularité d'une destination auprès des *gap travellers*, notamment la sécurité, les exigences de visas, le coût de la vie, les possibilités d'emplois. L'Australie exploite d'ailleurs son statut particulier de destination éloignée de rêve et renforce son avantage concurrentiel auprès de ce marché avec des campagnes promotionnelles soutenues. En 2005, le gouvernement australien a alloué un important budget pour promouvoir à l'étranger les vertus de son offre de visa de travail-vacances, et ce, afin d'attirer les *gap travellers*. Il a même étendu la période de séjour permise de un à deux ans.

L'Asie est également prisée de ces voyageurs en raison de la riche expérience culturelle qu'elle procure et du faible coût de la vie qu'ils y trouvent. Les pays incontournables qu'ils explorent pour le plaisir sont l'Inde, la Thaïlande, la Malaisie, le Vietnam et l'Indonésie. Ils se tournent aussi vers le Japon, mais davantage pour y trouver du travail. L'Amérique du Sud et le Pacifique Sud, avec le Brésil et les îles Fidji en tête de liste, sont aussi de plus en plus populaires. Finalement, l'Afrique attire pour sa part un grand nombre de travailleurs humanitaires avec ses organisations internationales spécialisées.

Le Québec dans tout ça

Le ministère canadien des Affaires étrangères et du Commerce international offre le «Programme vacances-travail», qui propose aux résidants de 13 pays admissibles (Allemagne, Australie, Autriche, Belgique, Corée du Sud, Finlande, France, Irlande, Japon, Nouvelle-Zélande, Pays-Bas, Suède et Royaume-Uni) de voyager au Canada tout en ayant la possibilité d'occuper un emploi pendant une courte période, afin de gagner un peu d'argent supplémentaire pour assurer les frais de voyages. La période maximale de séjour en vertu de ce visa est de 12 mois.

(Source: Réseau de Veille en Tourisme, Québec, Canada)

Gros plan sur les gap year travellers

Le *gap travel* correspond au voyage effectué par une personne qui a décidé d'interrompre ou de retarder, durant une période donnée, ses études ou son emploi afin d'assouvir son désir de voyager. Les origines du *gap travel* remontent à la fin des années 1940 alors que, dans la période de l'après-guerre, on voyait d'un bon œil que les jeunes partent explorer la planète dans l'objectif de s'ouvrir aux différentes cultures et d'améliorer ainsi les chances de paix mondiale. Ce n'est toutefois qu'à la fin des années 1990 que l'idée de voyager à l'aube de l'entrée à l'université s'est répandue.

Plus récemment, le concept du *gap travel* s'est étendu à d'autres groupes d'âge, à commencer par les individus au cœur de leur vie professionnelle. On observe en effet de nombreuses réorientations de carrière qui fournissent l'occasion à ces gens de prendre une pause entre deux emplois. De plus, il existe aujourd'hui une meilleure acceptation de la part des milieux éducatif et professionnel, ce qui contribue à créer un contexte favorable à ce type de voyages. On observe également un nombre croissant de personnes plus âgées qui profitent d'une bonne santé, tant financière que physique et mentale, pour partir à la découverte de nouvelles contrées. Plusieurs des voyageurs de cette catégorie sont des *backpackers* de la première heure qui constituent une cohorte de voyageurs expérimentés.

Les trois catégories de *gap travellers* se résument comme suit:

· les jeunes qui voyagent avant d'entreprendre ou de compléter des études universitaires;

· les travailleurs qui décident de prendre une pause dans leur carrière professionnelle pour voyager;

· les retraités qui, souvent, ont terminé leur carrière principale avant l'âge obligatoire de la retraite et souhaitent voyager avant d'amorcer des activités post-retraite (petit boulot à temps partiel, bénévolat, etc.).

Qui doit être le «long-séjouriste»?

En pratique, «long-séjourner» veut dire fort probablement loger hors des complexes touristiques (ex.: hôtel «tout-compris») et être davantage appelé à privilégier les lieux et services publics fréquentés par la population locale (marché, cantine de quartier, transport public, supermarché, pharmacie, garage, etc.). En d'autres termes, «long-séjourner» c'est vivre près, voire au cœur de la vie communautaire locale.

Ainsi, si vous ne supportez pas d'être la cible des regards masculins et de leurs avances, bonne chance dans le Maghreb! Si des boutons rouges s'extirpent de votre épiderme lorsque vous entendez du reggae plus de quinze minutes par jour, alléluia dans les Caraïbes! Si vous ne pouvez supporter les manières extraverties des Américains, ce sera un échec et mat au pays de l'Oncle Sam! Si vous avez envie de tordre le cou de tout individu qui parle de tout et de rien mais en ayant l'impression de parler de tout, la France est peut-être un terroir propice à cela. Si vous avez la narine fragile à l'approche d'une sardine grillée, le Portugal peut attendre. Vous pigez?

Cela dit, pour jubiler, s'épanouir et prendre du bon temps, à destination, du premier au dernier jour, le «long-séjouriste» doit être équipé de la trousse de voyage suivante:

· être ouvert d'esprit;

· accepter l'idée de porter le chapeau de minorité visible et audible;

· pouvoir endosser l'idée que voyager, c'est aussi trimbaler la réputation de son pays sur l'échiquier international; et comme une tortue, voyager c'est aussi porter sur son dos la classe sociale qu'on représente et qu'on projette, et ce, de façon volontaire et involontaire;

· avoir une facilité d'adaptation, être caméléon;

· accepter non seulement les différences, mais pouvoir s'en accommoder sans grincer des dents;

- être prêt à faire face et être en mesure de négocier avec ses préjugés favorables et défavorables;
- avoir une bonne dose de «système D».

Les différences culturelles résident tantôt dans les rapports hommes-femmes, tantôt dans les variantes importantes de vocabulaire alors qu'on croyait parler la même langue (le français au Québec vs le français en France), sont souvent d'ordre culinaire et se ressentent toujours en matière d'habitudes de vie et d'hygiène. Si l'on n'est pas prévenu, certaines de ces différences peuvent nous surprendre – agréablement ou non – ou encore devenir irritantes si notre degré de tolérance est trop faible.

Parfois même, elles nous jouent des tours, aussi bien de manière positive que négative: on tombe sous le charme... d'un chanteur de pomme tout ce qu'il y a de plus usuel dans tel pays; on sursaute à se faire interpeller «gazelle» (Maroc, Tunisie), une expression définissant pourtant tout simplement la féminité; on s'insurge à entendre le mot «gosses» (France) avant de découvrir qu'il désigne, comme bien d'autres appellations, les enfants; on fige et craint le pire lorsqu'on assiste à une engueulade que l'on croit du siècle (Italie), qui en fait n'est qu'une profonde prise de position verbale sur un sujet aussi banal que le degré de décibels qu'atteint le propos; on rebute là une manière de faire alors qu'il s'agit ici d'une manière de vivre...

Question maintenant: Pourrez-vous endosser ce profil?

 L'authentique voyageur est comme une bougie allumée dans un lieu exposé au vent: sa lumière vacille toujours. - Fénelon (adaptation)

Des indices infaillibles

Oubliez ce que vous dites; retenez ce que vous faites. En toute honnêteté et en toute objectivité, observez vos réactions face à des situations changeantes ou inhabituelles, votre degré de tolérance face à la différence culturelle ou religieuse, votre sens de l'accoutumance notamment aux musiques, aux odeurs et aux accents d'origines diverses. Êtes-vous morose lorsque vous ne trouvez pas votre fruit préféré à l'étalage de votre marché? Vous sentez-vous anxieux lorsque vous vous retrouvez seul représentant de votre nationalité au milieu d'un groupe multiculturel? Quand vous voyagez, prenez-vous plus de temps à réclamer des droits qu'à vous adapter? À travers ces cas de figure, nos actions, réactions et pulsions sont les meilleurs indices révélant notre véritable identité et notre personnalité.

■ Êtes-vous prêt pour les scénarios inattendus?

Parfois, on croit bien connaître une destination, soit parce qu'on y a déjà séjourné pendant une ou deux semaines, soit parce qu'on a parcouru des sites Internet et un ou plusieurs guides touristiques sur le sujet, soit parce qu'une collègue de bureau nous a maintes fois récité ses vacances justement dans le pays qu'on a choisi. Mais voilà que sur place, on découvre que la pauvreté a une connotation différente de celle qu'on croyait, ou encore on se rend compte que les habitudes d'hygiène ou culinaires sont encore plus loin des siennes. Que faites-vous alors? Comment réagissez-vous?

Dans un autre registre, on croit aussi bien se connaître soi-même. On habite une ville cosmopolite et voilà qu'on se dit que les «accommodements raisonnables» en société n'ont plus de secret pour soi. On a souvent voyagé, alors cette fois-ci on se dit que la villa en bordure de mer pendant six mois n'a qu'à bien se tenir…

Maintenant bien installé à destination et votre ixième pina colada fort bien digéré, alors que vous songez que c'est bien d'être ici, à l'autre bout du monde, que vous l'avez bien mérité et que les six mois à venir ne seront destinés qu'à vous faire entièrement plaisir, voilà que l'angoisse décide de camper dans vos tripes ou encore que le cafard commence à faire joujou avec votre tranquillité d'esprit. Et un questionnaire au goût amer se met à danser dans votre tête: est-ce que tout va bien à la maison? Noël sans les enfants sera-t-il un beau Noël? Le poissonnier du marché m'offre-t-il des produits frais? Et si je tombais malade? Et pourquoi les accommodements raisonnables me semblent tout à coup déraisonnables… mais à mon endroit? Alors, quels sont vos choix de réponses? Comment colmatez-vous ces sentiments indésirables?

Sans vouloir être alarmiste, broyer du noir ou voir des problèmes avant même qu'ils ne surviennent, l'idée d'imaginer de tels scénarios est simplement une invitation à un exercice de prévention. Mieux vaut prévoir des plans B dans le confort de son salon que de chercher des solutions impulsives de sauvetage une fois à destination.

La curiosité: un critère qui cache un piège

On reconnaît volontiers qu'une personne adepte des voyages est curieuse notamment de savoir comment vivent les gens dans le pays visité. Elle pose souvent un tas de questions sur les coutumes, les habitudes de vie et plusieurs autres aspects de la vie quotidienne. Mais la curiosité est une chose. Accepter et adopter ces coutumes, habitudes et aspects de la vie quotidienne le temps d'un long séjour en est une autre. Or, si la curiosité est un atout non négligeable, il n'est malheureusement pas le seul critère qui peut garantir qu'un long séjour — c'est-à-dire vivre selon le mode de vie local — est la formule tout désignée pour soi. Aussi, la curiosité trop démontrée ou trop pointue envers autrui — notamment sur la religion, la politique, l'hygiène, l'amour, etc. — peut même engendrer des signes de mécontentement ou de méfiance chez les habitants des pays visités.

Attention: longs séjours sous surveillance

Le titre de «long-séjouriste» est souvent synonyme de belles rencontres, d'échanges intellectuels, de découverte des autres, de compréhension des us et coutumes, etc. Il peut malheureusement aussi être le synonyme d'exploitation d'enfants pour usage sexuel ou pornographique dans les pays en voie de développement.

Le long séjour constitue parfois le terreau idéal propice à ce fléau. En profitant de la promiscuité et de la confiance qui se développent avec l'entourage des enfants, on utilise le plus souvent – au début – les services de ces derniers pour des tâches ménagères et d'accompagnement. Ce sont les stratégies de base de ces prédateurs, très difficiles à identifier avant leurs méfaits. Il n'y a ni groupe d'âge ni position sociale particulière liés à ce genre de comportement.

Quand on évoque le tourisme sexuel, on pense immédiatement à la Thaïlande et au Sud-Est asiatique… et occasionnellement à l'Afrique et à l'Amérique du Sud. Pourtant, le constat est mondial: selon des organismes comme l'Unicef, l'End Child Prostitution, Child Pornography and Trafficking of Children for Sexual Purposes (ECPAT), l'Organisation Mondiale du Travail (OMT) et les Nations Unies, le tourisme sexuel et celui impliquant les enfants ont envahi la planète. C'est également la troisième source de revenus illicites après la drogue et la vente d'armes.

L'Asie est le continent le plus marqué. L'industrie de la prostitution enfantine exploite 400 000 enfants en Inde, 100 000 aux Philippines, entre 200 000 et 300 000 en Thaïlande et 100 000 à Taiwan. En Chine, on estime qu'il y a entre 200 000 et 500 000 enfants prostitués (*source: Mondialisation des industries du sexe*). Quelque 35% des personnes prostituées au Cambodge ont moins de 18 ans. Aux Philippines, en Malaisie et en Indonésie, l'industrie du sexe représenterait entre 2% et 14% du PIB de chacun de ces pays. La Birmanie, la Chine, l'Inde et le Sri Lanka présentent eux aussi un profil similaire (*source: Unicef*).

Au Brésil, sur 100 000 enfants vivant et travaillant dans les rues, la majorité sont victimes de l'exploitation sexuelle qui est banalisée. À Bogotá, en Colombie, on compte entre 5 000 et 7 000 prostituées de moins de 18 ans. À Cuba et en République dominicaine, selon l'Unicef, les touristes constituent 20% à 30% des clients de prostituées. Le Honduras, le Mexique et le Costa Rica sont également des destinations phares du tourisme sexuel, avec les enfants comme «produits d'appel».

En Afrique du Nord, dans des villes telles que Le Caire, Casablanca, Marrakech et Tunis, la plupart des enfants qui passent leurs journées dans les rues sont aussi des proies vulnérables à ce trafic. Au Maghreb et dans des pays comme le Cameroun, la Côte d'Ivoire et le Niger, la prostitution passe souvent par le travail domestique et par le mariage des enfants, dont l'union légitime justifie leur utilisation sexuelle.

Avant que les politiciens et les juges prennent des dispositions pour contrer ce fléau, il a fallu que des organisations internationales et non gouvernementales se fassent l'écho des viols à répétition, des trafics d'enfants et de leurs conditions de survie. Grâce à l'Unicef, à l'OMT et aux Nations Unies, des gens se sont mobilisés pour discerner, aider et dénoncer.

Dans ce registre énorme qu'est la sensibilisation de l'humain envers un tel drame, l'ECPAT est aujourd'hui la seule organisation mondiale reconnue sur le plan international qui s'occupe exclusivement de l'exploitation sexuelle commerciale des enfants. Présente dans 62 pays à travers 70 composantes du même nom ou affiliées, l'ECPAT travaille conjointement avec des organisations comme Caza Alianza, qui déploie ses efforts au Honduras, au Mexique, au Nicaragua et au Guatemala par la prise en charge des enfants de la rue ainsi que par le soutien psychologique et l'assistance sociale pour les enfants abusés et utilisés commercialement à des fins sexuelles. En République dominicaine, les rues de Puerto Plata et des environs sont sous la responsabilité du Movimiento Para el Autodesarrollo Internacional de la Solidaridad de Puerto Plata (MAIS), une organisation qui fait beaucoup de sensibilisation dans les écoles des villes et des campagnes, développe des programmes de réinsertion et de développement social, et prend en charge les enfants de la rue grâce à des cours d'alphabétisation.

En Europe, l'ECPAT a incité des compagnies aériennes comme Air France, SAS et Lufthansa à projeter sur les écrans de leurs cabines des courts métrages portant sur le tourisme sexuel impliquant des enfants, et ce, sur leurs vols long-courriers. Aussi, l'association Terre des Hommes, en collaboration avec quelques voyagistes européens (TUI, Thomas Cook, Nouvelles Frontières), a de son côté produit des étiquettes de bagages montrant le logo de l'association et un enfant martyrisé.

Depuis peu, l'ECPAT a adopté et proposé un «code de conduite» destiné aux industries du voyage et du tourisme, code qui fournit maintenant des directives claires pour les employés et les touristes. Il permet aussi aux clients de faire entendre leur voix, en leur donnant l'occasion de choisir les compagnies ayant un engagement précis dans la lutte contre l'exploitation sexuelle des enfants.

L'engagement pour la mise en place de ce code de conduite montre l'importance qu'une entreprise accorde aux valeurs et à l'éthique, par la promotion d'un tourisme socialement responsable et respectueux des enfants. Les fournisseurs de services touristiques qui adoptent ce code s'engagent à respecter les six critères suivants:

- établir une politique éthique concernant l'«exploitation sexuelle des enfants à des fins commerciales» (ESEC);
- former le personnel dans son pays d'origine et dans le pays de destination;
- introduire une clause dans les contrats avec les fournisseurs, stipulant une volonté commune de lutter contre l'ESEC;
- informer les touristes par des catalogues, brochures, vidéos de bord, talons des billets, pages d'accueil des sites Internet, etc.;
- fournir de l'information aux personnes locales clés de chaque destination;
- faire un rapport annuel.

Pour plus de détails concernant le code: *www.thecode.org*.

La base de toute législation en matière de prostitution concernant les enfants, c'est naturellement la Convention internationale des Nations Unies pour les droits de l'enfant, établie le 20 novembre 1989. Ratifiée par 191 États, elle cherche à protéger les moins de 18 ans et à poursuivre ceux qui les exploitent. La Convention interdit la prostitution enfantine, mais cela est insuffisant. Les pays appliquent cette loi sur leur territoire, mais seuls une trentaine de pays, parmi lesquels figurent le Canada, la France, l'Australie, la Nouvelle-Zélande, les États-Unis, l'Allemagne et la Belgique, ont adopté en février 1994 des lois pénales d'extraterritorialité. Ils s'engagent ainsi à poursuivre sur leur territoire les coupables d'abus sexuels commis sur des mineurs, même si ces abus ont eu lieu à l'étranger. Le principal article de la Convention relative aux droits de l'enfant qui protège les enfants de l'exploitation sexuelle est l'article 34.

L'article 34: Les parties États s'engagent à protéger l'enfant contre toutes les formes d'exploitation sexuelle et de violence sexuelle. À cette fin, les États prennent en particulier toutes les mesures appropriées sur les plans national, bilatéral et multilatéral pour empêcher: que des enfants ne soient incités ou contraints à se livrer à une activité sexuelle illégale; que des enfants ne soient exploités à des fins de prostitution ou d'autres pratiques sexuelles illégales; que des enfants ne soient exploités aux fins de la production de spectacles ou de matériel de caractère pornographique.

Le Canada a concrétisé tous ces engagements dans ses projets de loi C-27 et C-15A qui modifient le Code criminel (prostitution chez les enfants, tourisme sexuel impliquant des enfants, pornographie juvénile, pornographie juvénile et Internet, harcèlement criminel et mutilation d'organes génitaux féminins), respectivement en vigueur depuis le 26 mai 1997 et le 23 juillet 2002. Avant que les juges ne décident, il ne faut pas être silencieux, ou fermer les yeux à destination. Les enfants n'ont pas à attendre le silence…

Des pistes et ressources pour contrer ce fléau:

- ECPAT: *www.ecpat.net/fr*
- Beyond Borders: *www.beyondborders.org*
- Casa Alianza: *www.casa-alianza.org*
- Fondation Renacer en Colombie: *www.fundacionrenacer.org*
- Unicef: *www.unicef.org*
- Association Repper, avec une liste des organismes partout dans le monde pour soutenir les enfants de la rue: *www.enfants-des-rues.com*
- Loi canadienne sur le tourisme sexuel: *www.voyage.gc.ca/main/pubs/child_fact-fr.asp*
- Site pour dénoncer l'exploitation des enfants en ligne: *www.cybertip.ca/fr/cybertip*
- Site qui prend en compte le tourisme sexuel infantile: *www.missingkids.com*
- Sur le trafic d'enfants à travers le monde et les réseaux de prostitution infantile: *www.terredeshommes.org*
- Programmes IPEC de l'Organisation Mondiale du Travail, pour lutter contre le travail des enfants et leur exploitation dans la prostitution et la pornographie: *www.ilo.org*
- Sur l'exploitation sexuelle des enfants: *www.droitsenfant.com*

- La revue de recherche en tourisme de l'Université du Québec à Montréal, *Téoros*, qui a édité, au printemps 2003, un excellent numéro (vol. 22) portant sur le tourisme et la sexualité, avec un dossier sur le tourisme sexuel impliquant des enfants. Toujours en vente dans les librairies de l'université.

- *Mondialisation des industries du sexe* (prostitution, pornographie, traite des femmes et des enfants) de Richard Poulin, collection «Amarres», L'Interligne.

Comment choisir sa destination

 Il ne suffit pas d'être un grand «long-séjouriste»; il faut l'être au bon endroit…

L e long séjour, c'est comme un flirt: on a d'abord le cœur libre pour l'aventure, on repère alors une destination, on demande à une personne-ressource fiable qui la connaît bien d'en dresser un portrait, puis on la courtise et on se dit qu'il serait bien d'y installer sa brosse à dents pour quelque temps… En effet, le long séjour ne doit surtout pas être soumis à la loi de l'impulsivité, sinon on découvre vite qu'on s'est sans doute trompé. Si le long séjour est la formule voyage qui correspond parfaitement à nos envies, la destination doit, elle, être en phase avec nos attentes. Ce chapitre propose un procédé pour effectuer un choix éclairé.

Immersion linguistique: pistes et références

Plusieurs agences et voyagistes aussi bien au Québec qu'en Europe font des longs séjours d'immersion linguistique à travers le monde leur spécialité, et ce, non seulement pour les étudiants, mais aussi pour les adultes de tous les âges et de toutes les provenances et motivations.

Au Québec, il existe entre autres le voyagiste Séjours linguistiques VTE *(www.immersion-vte.com)*. En Europe francophone, le marché est très organisé, quantité importante d'organisations oblige. Un premier contact avec le site Internet *www.monsejourlinguistique. com* permet d'être au fait des pistes à suivre. On y suggère de vérifier que les entreprises qui se spécialisent en la matière aient un permis et les as-sociations un agrément tourisme. On y indique également qu'une affiliation à un groupement reconnu constitue par exemple un indicateur de garan-tie de qualité notamment des cours donnés, de l'encadrement et de la sécurité. En France, on pense à l'Of-fice national de garantie des séjours et stages linguistiques (ONGSSL), à l'Union nationale des organisations de séjours linguistiques et des écoles de langue (UNOSEL) ou encore à la Fé-dération française des organisateurs de séjours culturels, linguistiques et spor-tifs (FFOSC). Du côté de la Suisse, une visite s'impose sur le site Internet *www. esl.ch.* Du côté de la Belgique, on navi-gue sur le site Internet *www.orientation. be.*

Première étape: mettre en lumière ses envies et ses motivations

Quelle mouche nous a piqués? Pourquoi veut-on changer de mode de vie durant une période prolongée? Est-ce qu'on veut complètement changer de mode de vie? S'éclipser pour un bon bout de temps vers d'autres cieux, certes, mais pourquoi? Au fait, pourquoi est-ce important de savoir pourquoi?

Plusieurs envies ou motivations peuvent expliquer pourquoi nous consultons notre calendrier avec le souhait d'y raturer plusieurs semaines entières avec mention «parti pour l'aventure».

Voici le palmarès des 10 envies et motivations les plus courantes:

· faire le plein, faire le vide, se ressourcer;
· fuir l'hiver;
· faire une cure de chaleur ou d'air marin;
· se refaire une bonne condition physique ou mentale;
· être en convalescence;
· réaliser un rêve, effectuer enfin son «trip sac au dos»;
· prendre du recul;
· apprendre une langue étrangère;
· réfléchir, se retrouver avec soi-même;
· voir du pays, s'enrichir d'une culture, d'un peuple, d'un pays autre.

De temps en temps, il faut se reposer de ne rien faire. - Jean Cocteau

«Long-séjourner» pour servir une cause

Les causes humanitaires à servir n'ont jamais été aussi nombreuses et autant accessibles, planète en mode conscience collective et démocratisation du voyage obligent. Parallèlement, il y a de plus en plus de voyages et longs séjours qui sont proposés à travers le monde et qui donnent d'autres perspectives que la plage inondée de soleil ou que le complexe touristique prêt à tout faire pour des buffets gargantuesques et des jeux à n'en plus finir. Or, choisir sa cause, c'est souvent du même coup choisir sa destination.

Il existe plusieurs façons de servir une cause. Il y a d'une part les tendances lourdes, comme passer ses vacances dans un village déshérité ou dévasté par une mauvaise humeur de Dame Nature, et participer à la reconstruction ou au façonnage social de ce village (aménager une école ou un hôpital, mettre son expertise à la disposition de la population, etc.). Dans ce même registre, on pense aussi au phénomène marginal, mais en voie d'expansion, de prendre part à une expédition de collecte de fonds qui serviront à l'achat d'équipements pour une population dans le besoin. Ce type d'expédition est parfois organisé par des associations de professionnels de la santé (dentistes, chirurgiens, vétérinaires, etc.). En cours de carrière ou retraités, les participants bénéficient souvent des avantages suivants: un voyage très valorisant et une déduction fiscale.

Il y a d'autre part la tendance un peu plus légère qui consiste à voyager dans des pays en voie de développement en utilisant les services offerts et assurés par une population locale (et non par des agences étrangères par exemple). On participe ainsi à leur survie en leur versant des sommes d'argent dont ils profitent directement.

Une nouvelle tendance est celle de visiter un pays et d'être pris en charge par les autorités politiques pour en faire la promotion une fois de retour au bercail. L'exemple le plus frappant en ce moment est le Venezuela, où le président Hugo Chávez fait tout pour exporter sa vision du socialisme. Au programme: visites de quartiers en reconstruction, d'écoles, de manufactures, de puits de pétrole, tout y est. L'organisation Global Exchange *(www.globalexchange.org)* se prête au jeu et propose des circuits partout dans le monde et de longue durée.

Autres contacts, autres pistes:
- Jeunesse et Reconstruction *(www.volontariat.org)*, une organisation en France qui soutient et mène à terme des projets communautaires divers dans le monde grâce au recrutement de volontaires.

- Tourisme Autrement *(www.tourismeautrement.com)*, pour s'adonner au tourisme solidaire et prendre des vacances éthiques ou humanitaires dans le monde entier. Nombreuses ressources et possibilités.

- Agence canadienne de développement international (ACDI): *www.acdi-cida.gc.ca*.

L'importance de connaître la raison qui nous motive à partir est fort simple: pour déterminer quelle destination correspond le mieux à notre motivation. Par exemple, on fuira l'hiver dans un pays chaud, on apprendra mieux le thaï en Thaïlande qu'en Italie, on se ressourcera sans doute mieux près d'un désert ou d'une plage que près d'un bidonville ou d'une mégapole.

De connaître la raison nous indiquera également quel endroit dans la destination on devrait privilégier. Par exemple, si l'on souhaite être en convalescence sous d'autres cieux, sans doute de loger dans un rayon raisonnable d'un établissement de santé prévaudra sur la location d'une villa sur une île déserte. Ou encore, si l'apprentissage d'une langue étrangère est notre motivation, non seulement la langue d'usage d'un pays sera le critère numéro un, mais les variantes et les dialectes doivent aussi être pris en compte (l'anglais d'Angleterre, d'Australie ou celui de Californie? L'espagnol d'Espagne ou celui des Antilles?). À vous de choisir.

Deuxième étape: mettre en lumière ses passions et ses préjugés

Bon, on sait maintenant pourquoi on souhaite partir et pourtant, on a encore l'embarras du choix. C'est alors qu'il est intéressant de puiser dans ses passions et d'analyser ses préjugés.

■ Ses passions

On admire le monde à travers ce qu'on aime.
- Alphonse de Lamartine

À moins d'embrasser une cause humanitaire, et que celle-ci occupe tout votre temps et toute votre énergie durant votre long séjour, les moments libres constituent sinon une denrée abondante pour le «long-séjouriste». À défaut de savoir où «long-séjourner», il peut être intéressant et très enrichissant de choisir une destination où il vous sera possible d'assouvir une passion ou un passe-temps.

Amateur de randonnée pédestre en milieu naturel hautement panoramique? Le Grand Canyon, en Arizona (États-Unis), regorge non seulement de sentiers à couper le souffle mais aussi de gîtes et ranchs en guise d'étapes pittoresques. Les parfums et leur fabrication vous fascinent? Le sud de la France fera de vous un «nez» hors pair. La jungle est le terrain de jeux et de découvertes qui vous fait le plus frémir? Le Costa Rica vous offrira en prime les cratères accessibles de ses volcans. Céramiste en herbe? Découvrez les merveilles en la matière au Mexique. Passionné de gastronomie et d'œnologie? La France, l'Espagne et l'Italie sont toujours aussi championnes dans ces domaines. Farniente et belles plages sont tout ce dont vous avez besoin, mais vous voulez le meilleur? Cuba ou encore les Antilles françaises doivent notamment résonner à vos oreilles. Aussi, le Mexique et Cuba pour les foires du livre, l'Inde et la Thaïlande pour les fêtes culturelles aux couleurs vives, la Croatie et Venise pour la construction de bateaux, le nord du Panamá, le Chili et le Pérou en matière d'artisanat et de broderie… autant d'indices qui enrichissent un long séjour.

 On gagne plus par la modération que par crainte. La virulence peut avoir de l'effet sur les natures serviles mais non sur les esprits indépendants.
- Ben Jonson

«Long-séjourner» savant...

La notion d'apprentissage tout en voyageant gagne du terrain dans une multitude de domaines. Hier presque exclusivement associée au désir de mieux maîtriser une langue étrangère, la formule – aussi appelée «vacances éducatives» – va aujourd'hui s'abreuver dans des activités telles que: découvrir le mode de vie des Autochtones, participer à un atelier de peinture, apprendre mille et un trucs horticoles, parcourir les rues d'une ville à la découverte de son histoire, assister à la répétition d'une pièce de théâtre et échanger avec les artistes, s'initier à la culture de la vigne et à la fabrication du vin, cuisiner les poissons et les fruits de mer, tout savoir sur les baleines, passer une journée en compagnie d'un pêcheur afin de se familiariser avec son métier et son mode de vie, découvrir la paléontologie, etc.

La formule «vacances éducatives» est populaire auprès:

- des adultes d'âge moyen et d'âge mûr qui disposent de plus de temps pour voyager et se plaisent à l'idée de s'enrichir intellectuellement pour le plaisir;

- des associations et groupes d'affinités qui recherchent des expériences d'apprentissage liées à leur champ d'intérêt;

- des personnes voyageant seules, qui forment un segment moins homogène, mais qui sont tout aussi intéressées à ce type d'activités;

- des explorateurs dans l'âme qui recherchent des programmes leur permettant d'explorer une nouvelle partie du monde afin d'en découvrir les us et coutumes, la géographie et l'histoire;

- des voyageurs actifs, amants de la nature et soucieux de l'environnement;

- des amateurs «de contenu» qui ont un intérêt marqué pour un sujet particulier (ex. généalogie, photographie).

Quant au «comment du pourquoi», les adeptes justifient leur intérêt pour la formule comme suit: pour la valorisation de soi, pour l'épanouissement personnel, pour l'authenticité et l'expérience, pour l'interaction, pour la stimulation ou encore pour les rencontres avec des gens qui partagent les mêmes intérêts.

Où frapper?

Les États-Unis, le Royaume-Uni et l'Australie ont la cote au palmarès des destinations réputées sur le marché des vacances éducatives. À eux seuls, les États-Unis comptent sur une grande concentration d'intervenants majeurs et d'envergure internationale tels que Smithsonian Associates, Saga Holidays, Academics Abroad, Elderhostel, National Geographic Expeditions et le Sierra Club.

 La règle d'or de la conduite est la tolérance mutuelle, car nous ne penserons jamais tous de la même façon, nous ne verrons qu'une partie de la vérité et sous des angles différents. - Mahatma Gandhi

Quand les idées préconçues deviennent des pièges

Évitez de croire aux généralités véhiculées notamment par les personnes qui n'ont séjourné que quelques jours dans une destination, voire jamais. Des exemples de ces généralités: les «Mexicains sont fainéants», les «Cubains sont extraordinaires», les «Noirs savent bien danser», les «Asiatiques jouent un excellent ping-pong», les «Italiens sont des voleurs», les «Chiliens ont la conscience révolutionnaire». Toute généralité n'a jamais fait l'unanimité, puisque toute généralité est discutable.

Un pays, c'est où il y a des gens qui ont le même droit même s'ils n'ont pas la même peau.
- Teva, 8 ans

■ Ses préjugés

Il existe deux formes de préjugés: les préjugés défavorables et les préjugés favorables. Le contre et le pour.

Dans le premier cas (les préjugés défavorables), le fait de les prendre en considération évite à celui qui les habite d'entreprendre un long séjour avec un goût amer en étant d'emblée sur ses gardes, et avec des appréhensions peut-être non fondées mais néanmoins ressenties. Loin l'idée d'élever les préjugés défavorables au rang de critères pertinents d'élimination d'une destination, mais s'ils engendrent la conséquence fâcheuse de freiner et de décourager toute possibilité d'ouverture d'esprit et, ainsi, le bénéfice du doute à autrui, il n'est pas la peine de «long-séjourner» aux États-Unis si vous êtes profondément anti-Américain, tout comme il n'est pas la peine de vous établir dans le Maghreb si vous êtes convaincu que toutes les femmes musulmanes y sont réduites à leur plus insignifiante expression.

Dans le second cas (les préjugés favorables), le point positif du parti pris est d'instituer d'emblée la réceptivité qui, elle, encourage les rencontres et les échanges, soit les éléments de base des voyages.

Mais attention: les préjugés favorables peuvent parfois entraîner des déceptions. À trop vouloir se dire que telle qualité de peuple est si merveilleuse ou à trop vouloir se convaincre que telle particularité d'un pays est tellement formidable, les préjugés favorables peuvent avoir le même effet que de la poudre aux yeux.

Enfin, dans les deux cas, avoir du recul est sans doute le meilleur compromis. En toute matière et en tout temps, les jugements extrêmes, s'ils ont toujours été évocateurs, n'ont finalement jamais eu bon goût.

 La tolérance est la plus belle et la plus noble des vertus. Elle est une question préalable à tout contact humain. Elle ne fait renoncer à aucune idée. Elle implique simplement qu'on accepte que d'autres ne pensent pas comme nous sans les haïr pour cela. - Paul-H. Spaak

Troisième étape: mettre en lumière les facteurs incontournables

Bon, on a déjà une petite idée de la destination, mais celle-ci est-elle prête à me recevoir pour la durée de mon long séjour? Et à certaines de mes conditions *sine qua non*? Peut-elle m'assurer confort et sécurité?

À cette étape du magasinage de la destination, les points suivants seront sans doute des facteurs incontournables, s'ils s'appliquent, et seront fort probablement déterminants.

Questionnaire:

Aux dates souhaitées ou prévues de mon long séjour, quel est l'état de la situation pour la destination X relativement:

Il ne faut choisir pour destination que le pays qu'on choisirait pour résidence, s'il devait devenir nôtre.

- aux saisons climatiques (pluies, ouragans, typhons, etc.)?
- aux saisons tarifaires (mes dates concordent-elles avec la haute ou la basse saison?)?
- au climat politique (élections à venir?, climat social tendu?)?
- à l'état sanitaire des lieux (une épidémie ou un risque de pandémie sont-ils en vigueur?)?
- aux ressources d'ordre alimentaire?

Aussi le profil de la destination correspond-il à:

- mon budget (le budget voyage à ma disposition peut-il me permettre de séjourner toute la durée voulue?);
- mon état de santé (mes conditions physique et mentale sont-elles suffisamment bonnes pour y «long-séjourner»? Les services sur place pourraient-ils répondre à mes besoins en cas de nécessité? Ainsi, par exemple, si l'on souffre d'un problème de santé chronique, les services de santé disponibles à destination deviennent un critère de première importance.).

Histoire d'un match parfait

Si les voyages ouvrent les horizons, les longs séjours peuvent provoquer une transformation. La durée prolongée d'un séjour peut être assez significative pour – dans le meilleur des cas – éveiller des consciences, faire tomber des préjugés, découvrir des affinités, dévoiler des dons cachés. Quand cela arrive, on assiste ainsi à un match parfait entre la destination et le «long-séjouriste». Si l'on ne peut pas prédire s'il surviendra, on peut tout de même préparer le terrain. Choisir sa destination au meilleur de ses critères et de sa quête d'information revêt donc un aspect fort encourageant.

Dans le cas contraire, «long-séjourner» dans un environnement qui ne correspond pas adéquatement à notre personnalité et à nos affinités peut avoir comme conséquence de freiner, voire d'annuler toute possibilité d'épanouissement.

Quatrième étape: valider son choix

Ça y est, on a mis le doigt dessus. Attention pays *X*, j'arrive…

Stop! On a évalué ce dont on a envie, on a passé au peigne fin nos préjugés, on a vérifié qu'aucune épidémie probable ne viendra provoquer un ouragan durant la moisson de la basse saison, reste un détail à examiner: le caractère touristique de la destination.

Que la destination soit déjà connue ou non, la mise à jour de nos renseignements est capitale. Tout pays aujourd'hui accueillant et paisible n'est pas à l'abri de lendemains plus ternes, agités ou incertains. Aussi, s'il est bien de poser des questions, il est surtout important d'écouter les réponses. Et s'il est souhaitable de s'informer, il l'est davantage de le faire auprès de ressources fiables.

Par définition, une «ressource fiable» est une ressource impartiale dont les activités découlent d'une intention saine, objective et dépourvue d'intérêts. Autrement dit, il faudrait éviter tout fournisseur de produits de voyage! Sinon, du moins, ne pas uniquement s'en remettre à eux.

Parmi les bonnes sources d'information, il y a les médias d'ici et d'ailleurs, d'actualités générales ou de voyage. Un exemple, le *Courrier international*, un hebdomadaire francophone, reprend les grands titres mondiaux. Version papier, il est vendu dans les kiosques de la presse spécialisée. Ce journal et bon nombre de journaux locaux dans le monde sont aussi diffusés sur Internet *(www.courrierinternational.com)*, donc accessibles à tous les internautes.

D'autres exemples de ressources: les consulats, les blogs sur Internet, les carnets de voyage. Un mélange de tout cela est encore mieux pour bien planifier son long séjour.

Le blog des blogs

En quelques années seulement, le phénomène des blogs (et des «agrégateurs de contenus» et des «wikis» –, lire le chapitre «Comment préparer son long séjour», p 29) a envahi aussi bien le monde de la politique et des arts que celui des voyages. L'une des raisons de ce succès est que le blog incarne la nouvelle «philosophie collaborative du Web» et permet à n'importe quel internaute de devenir un auteur de carnet de voyage, sans connaissance technique particulière et quasiment gratuitement. Le blog renouvelle aussi la relation entre le voyageur et son lecteur en créant l'immédiateté. Avant, le voyageur rédigeait au jour le jour son journal, qui n'était lu qu'à son retour. Maintenant, il est souvent lu et commenté en temps réel par des lecteurs, et cet échange enrichit le contenu.

Pour permettre de s'y retrouver parmi les nombreux blogs de voyage disponibles sur Internet, le site francophone de Lonely Planet *(www.lonelyplanet.fr/_pdf/lp_blog.pdf)* propose une judicieuse sélection de 38 blogs couvrant un large éventail de destinations et d'intérêts.

«Long-séjourner» comme un nomade: construire son itinéraire

Le long séjour ne prend pas seulement la forme d'un second chez-soi à adresse civique étrangère fixe. Il peut aussi prendre l'allure d'une année sabbatique autour du monde, ou encore d'une tournée générale sur un continent. Dans ce cas, non seulement le choix des destinations est-il nécessaire, mais aussi devra-t-on planifier un itinéraire. Pour ce faire, plusieurs points doivent être déterminés et vérifiés.

La durée: la première chose à faire est d'évaluer la durée mise à sa disposition. Parfois, dans le cas des longs périples, la validité d'un billet d'avion fixe la date de retour, soit un an plus tard.

La destination doit-elle impérativement être connue?

Doit-on choisir une destination déjà connue ou visitée, ou peut-on sélectionner un pays dans lequel on n'a jamais mis les pieds? Si le premier choix est préférable, le second n'est pas mission impossible ou incompatible.

> *Je vivrai ici pendant la saison des pluies, là pendant la saison froide, ailleurs pendant la canicule. Ainsi l'insensé fait en son cœur des projets sans s'assurer de ce qui peut les contrarier.* - Bouddha

Le budget et le coût de la vie: évidemment, il faut tenir compte du coût de la vie locale, mais si l'on doit budgétiser serré, l'exercice ne veut pas seulement dire couper en deux ou «cocher oui/cocher non». Au cours d'un itinéraire couvrant plusieurs régions ou plusieurs pays, une option pourrait être de rester plus longtemps là où le coût de la vie est moins élevé (ex.: en Asie) que là où il l'est plus (Océanie). Autre option: tenir compte des saisons touristiques dans l'élaboration de son programme; on fait des arrêts dans les pays dit «développés» idéalement durant la basse saison.

Les lieux que l'on veut visiter: un pays, une région, une station balnéaire, une île, suivre une route (routes de la soie, des épices, des vins, etc.). Déterminer une liste pour mieux planifier son itinéraire.

Les conditions climatiques: qu'il traverse les hémisphères, les régions climatiques ou les saisons, un long périple devrait se construire en tenant compte de la météo. Même si le parcours idéal peut parfois s'avérer mission impossible, le sens giratoire d'un voyage (du nord au sud ou du sud au nord?; d'est en ouest ou d'ouest en est?) et même la date de départ/retour (si celle-ci peut être modifiée) peuvent être des solutions pour s'éloigner le plus possible des gouttes de pluie indésirables ou du temps un peu trop frisquet.

Il y a des gens qui ne savent pas perdre leur temps. Ils sont le fléau des gens occupés. - L. de Bonald

Rythme et alternance: peu importe l'âge et la condition physique, l'alternance «détente et tourisme» est un bon rythme à considérer. Prévoir des périodes de repos entre les grandes virées touristiques ou urbaines. Histoire de souffler un peu si l'on voyage en territoire très exotique et très étranger à son mode de vie habituel, l'alternance devrait également se faire en rapport avec les différenciations aussi bien d'ordre culturel qu'économique: on alterne «destinations propices au choc culturel» avec «destinations auxquelles on est initié»; on alterne «destinations au confort minimal» avec «destinations au confort maximal».

S'éloigner des contraintes: planifier un itinéraire comportant plusieurs jours fixes de vols, par exemple, c'est s'imposer des contraintes de dates et de déplacements, lesquelles peuvent avoir pour fâcheux effet de freiner une bonne dose de liberté et de flexibilité, dans l'éventualité où l'on souhaiterait rester plus longtemps à un endroit plutôt qu'à un autre.

 Beaucoup de repos n'a jamais fait mourir personne. - Tristan Bernard

Comment préparer son long séjour

 Dépêchons-nous de succomber à la tentation avant qu'elle s'éloigne…
- Épicure

Vous voulez partir mais vous avez des craintes et des appréhensions? C'est bien! C'est mieux! Retenez ce proverbe: *La meilleure improvisation est celle qui est planifiée!* Si l'on ne veut pas se tromper lorsqu'on projette de «court-séjourner» dans un pays étranger, imaginez un instant toute la dimension que prend cette volonté lorsqu'il s'agit d'un long séjour. Être plus ou moins satisfait pendant deux semaines de vacances, ce n'est pas souhaitable. Être insatisfait pendant deux ou quatre mois, c'est assez pour décourager même le plus averti des voyageurs.

Faire les bons choix ici pour mieux vivre là-bas

■ Savoir s'entourer

Préparer efficacement son long séjour, c'est d'abord savoir s'entourer des meilleures ressources en matière de planification. Par exemple, si vous souhaitez consulter un agent de voyages ou un voyagiste, préférez un spécialiste des longs séjours (dont la courbe de croissance suit celle de la popularité grandissante des longs séjours) ou un spécialiste de la destination que vous avez choisie; idéalement les deux à la fois.

Une agence de voyages idéale peut également en être une dite «ethnique». De telles agences ont souvent pignon sur rue dans les quartiers multiculturels et sont souvent spécialisées dans les destinations qu'elles proposent. Qui de mieux qu'un Thaï d'origine pour conseiller sur la Thaïlande? Qui de mieux qu'une Italienne d'origine pour nous informer sur les habitudes de vie en Italie?

Vous pourriez aussi planifier votre voyage de façon autonome, effectuer vous-même vos recherches et vos réservations en matière d'hébergement, de billets d'avion et autres. Les voyageurs avertis, qui ont déjà expérimenté les canaux de distribution (les centrales de réservations, les agences de voyages sur Internet, etc.), sont sans doute les plus aptes pour entreprendre ce type de planification. Mais encore, il peut y avoir une première fois à tout et dans tout. Dans un cas comme dans l'autre, retenez que du côté d'Internet, peu de ressources existent en matière de recours lorsqu'une transaction effectuée en ligne ne donne pas les résultats escomptés.

 *Rien de grand n'a jamais pu être réalisé sans enthousiasme.*
- R. W. Emerson

S'informer comme si l'on y était

Lire des auteurs du pays où l'on souhaite «long-séjourner» demeure une excellente initiative. S'enrichir ainsi sur une destination peut également être un véritable voyage en soi: parcourez les contes et légendes d'un pays et de son peuple, lisez des témoignages et des récits d'écrivains voyageurs (ex.: Nicolas Bouvier, Bernard Voyer, Paul-Émile Victor, Jacques-Yves Cousteau ou même Homère et Jules Verne) ou encore visionnez des films du pays que vous visiterez.

■ Choisir son hébergement

Pour éviter la solitude et les endroits reculés ou par désir de se soustraire aux corvées quotidiennes et de s'entourer d'étrangers comme soi, voire de compatriotes, certains «long-séjouristes» vont choisir de loger dans un établissement hôtelier en demi-pension ou en pension complète, où les unités d'hébergement ne disposent pas forcément de cuisinette.

Idéalement, on magasine son hébergement comme on cherche une nouvelle maison: si le rapport qualité/prix dicte beaucoup nos choix, on mettra également en perspective les notions suivantes: la superficie de son unité d'hébergement vs son niveau minimal de confort, ou encore les fonctionnalités vs son mode de vie et ses besoins (chambres fermées pour les enfants ou les visiteurs, climatisation, appareils électroniques, etc.).

On mettra également en perspective la localisation de son unité d'hébergement (dans l'immeuble, dans le quartier, dans la station balnéaire, dans la ville, dans le pays) vs son budget, ses impératifs et ses désirs. Par exemple:

· au centre-ville pour éviter la location d'une voiture;
· près d'une clinique pour des besoins liés à son état de santé.

Au chapitre des avantages d'un hébergement long séjour (copropriété, appartement, résidence hôtelière, maison ou villa), l'autonomie des locataires demeure un facteur important. La cuisinette tout équipée mais aussi l'hébergement tout équipé (salon détente, balcon, terrasse, etc.) procurent un meilleur contrôle de son alimentation et de son rythme de vie.

Un second facteur d'importance: le budget. L'hébergement long séjour suit la loi de l'amortissement: plus longtemps on habite à un endroit, moins le coût de revient est élevé à la journée.

Types d'hébergement	Pour	Contre
Résidences pour étudiants	petit budget, favorise les rencontres	petite superficie, confort parfois minimal
Copropriété/appartement	édifice parfois surveillé, favorise les rencontres de paliers entre voisins	intimité restreinte des aires publiques (ex.: plage et piscine de l'édifice)
Résidence hôtelière	services sur place (ceux d'un hôtel), confort, surveillance et sécurité	coût élevé
Résidence/appartement pour retraités	services sur place, surveillance et sécurité, favorise les rencontres	coût élevé
Bungalow	coût inférieur pour une location de résidence	superficie parfois restreinte, proximité avec les voisins
Maison/villa	intimité, superficie, confort	coût moyen à élevé

Afin de dénicher un hébergement pour une longue durée, voici, outre les voyagistes qui proposent de longs séjours, quelques pistes:

· les offices du tourisme;
· les consulats, spécialement ceux qui disposent d'une division tourisme à même leurs bureaux;
· les associations ou regroupements de voyageurs (par les moteurs de recherche sur Internet; par exemple, utilisez les mots-clés «amis du voyage», «snowbirds» ou encore «expats»).

Internet propose également d'autres ressources en la matière, notamment:

· Long Stay Travel: *www.longstay.com*
· Extended Stay Hotels: *www.biz-stay.com*
· Abritel (location de vacances entre particuliers): *www.abritel.fr*

• Pierre & Vacances: *www.pierreetvacances.com*

Consultez également les chapitres des destinations du présent guide pour des suggestions plus ciblées.

L'échange de maisons ou d'appartements

Si la formule est à première vue fort à propos pour les longs séjours (en échange de notre maison ou appartement, on séjourne dans une autre maison ou appartement dans le monde), encore faut-il dénicher une demeure vacante pendant toute la durée souhaitée de notre séjour. Mais comme rien n'est impossible, la recherche en vaut la peine: vous économiserez sur les frais d'hébergement, et votre résidence ne sera pas inoccupée durant votre absence. Un conseil si vous choisissez cette formule: parce que vous n'êtes pas à l'abri d'une annulation de l'échange (en cas de maladie, de décès ou autre), achetez des billets d'avion échangeables ou remboursables et transigez par une agence. Celle-ci pourra – dans le meilleur des cas – vous proposer une solution de rechange. Quelques références sur la formule: *www.echangedemaison.com*, *www.trocmaison.com*, *www.livingaway.com/cafr*, *www.domus2domus.com*.

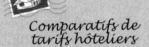

Comparatifs de tarifs hôteliers

Le site *www.internethotels.com* compile et diffuse des statistiques en matière de tarifs hôteliers prélevées à partir de comparatifs des prix affichés par quelque 20 000 établissements dans quelque 1 000 villes du monde. Ce site constitue un indicateur intéressant et permet d'avoir un aperçu général des tarifications hôtelières dans le monde.

Longs séjours au monastère

Si le but de votre long séjour est la retraite, le ressourcement ou encore le voyage intérieur, le monastère est peut-être l'adresse désignée. Les consignes à respecter diffèrent d'un établissement à l'autre, tout comme le degré de confort des chambres et le prix. Ce type d'endroit se présente également sous d'autres appellations: centres spirituels, maisons de repos, étapes de vacances ou refuges. Il se présente parfois aussi avec certaines particularités: résidences médicalisées ou non, pour vacances, repos ou convalescence. Outre Internet, il existe un ouvrage de référence sur le sujet: le *Guide Saint-Christophe – Accueil et séjours spirituels en France et à l'étranger*, chez Malesherbes Publications.

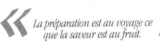

La préparation est au voyage ce que la saveur est au fruit.

Faire son repérage sur place

Choisir à distance le lieu où habiter pendant six mois peut causer des sueurs froides. Et si la maison louée n'était pas adaptée à nos besoins? Et si le quartier n'offrait pas du tout ce dont on rêvait? Pour éviter ce type de déception, pourquoi ne pas séjourner à l'hôtel, disons pendant les deux premières semaines, et faire vous-même votre repérage sur place? Si, bien sûr, vous êtes capable d'accepter l'idée de partir vers d'autres cieux pendant longtemps, et ce, sans connaître, au préalable, votre adresse civique. Une fois sur place, consultez les petites annonces, repérez une agence ou encore adressez-vous à un agent immobilier de l'endroit.

Un bed and breakfast hors saison

En basse saison, les *bed and breakfasts* pratiquent, tout comme les hôtels, des tarifs plus bas qu'en haute saison. Il peut être envisageable d'y demeurer pour un long séjour. L'avantage premier réside dans l'immersion absolue, mais il faut être prêt à vivre pendant longtemps sous le même toit d'une famille.

L'art d'être tantôt très audacieux, tantôt très prévenant, est l'art de réussir son voyage.

Magasiner à partir du bruit!

Si Paris est votre lieu de prédilection pour votre long séjour, sachez que le site Internet de sa mairie *(www. paris.fr)* répertorie l'indice de bruit à travers la capitale française, arrondissement par arrondissement, rue par rue, immeuble par immeuble. Vous choisissez d'abord votre indice de tranquillité et ensuite le lieu de votre hébergement. Pas mal non?

■ Repérer les services utiles, voire nécessaires

Au cours de la préparation d'un long séjour, il est important d'élaborer une liste des services auxquels on peut avoir recours. Certains de ces services peuvent nécessiter une réservation. Ainsi détermineront-ils le lieu d'hébergement.

Alors une voiture ou un vélo? Un interprète, un guide occasionnel ou un accompagnateur? Un médecin tout proche ou une infirmière dans la ville voisine? Un cours de langue ou un atelier de poterie? L'hébergement doit-il être adapté pour une personne à mobilité réduite?

L'importance de la liste réside également dans le fait que certains services sont plus avantageux sur le plan des coûts s'ils sont réservés depuis son pays d'origine. C'est notamment le cas pour la location d'une voiture. Par exemple, les Nord-Américains qui souhaitent séjourner en Europe peuvent bénéficier d'une location économique dite «achat-rachat», en autant que la réservation ait été faite en Amérique du Nord (pour les détails de ce produit, voir p 75).

Notez que pour d'autres services, il demeure prudent de les réserver depuis son pays d'origine. Car, notamment, des fournisseurs de produits de voyage négocient des ententes avec différents fournisseurs des destinations qu'ils proposent, et ces ententes octroient aux voyageurs, tantôt des économies d'argent, tantôt une accessibilité à certains services (un guide francophone, par exemple).

Voyageurs à mobilité réduite

Plusieurs pays n'offrent pas d'installations spécifiques d'accès aux personnes en fauteuil roulant ou n'ont tout simplement aucun service prévu pour répondre aux besoins spéciaux des malentendants ou des malvoyants. Si vous avez des besoins dans ce sens, informez-vous auprès des offices du tourisme ou consulats. Si le pays où vous souhaitez «long-séjourner» ne possède pas d'infrastructures adaptées, vous pouvez peut-être regarder du côté des fournisseurs d'équipements spécialisés et faire la location des appareils nécessaires.

■ Voir tôt aux formalités

Une fois qu'on a déterminé la destination de nos rêves, l'enclenchement des procédures en matière de formalités d'entrée est une démarche dont il faut s'occuper très tôt, et pour deux raisons:

- on s'aperçoit parfois, en cours de route, que certains de nos documents ne sont plus valides ou sont sur le point de ne plus l'être (passeport ou certificat de naissance original qui permet par exemple d'avoir un passeport);
- certains délais sont incontournables pour l'obtention de documents obligatoires (pour l'émission d'un visa touristique, par exemple).

Pour d'autres renseignements relatifs aux formalités d'entrée mais aussi de sortie, consultez le chapitre «Les formalités» de ce guide (voir p 55). Pour connaître la liste des documents obligatoires ou fortement suggérés, consultez également ce chapitre et l'ambassade ou le consulat du pays que vous visiterez.

D'autres types de formalités doivent être à votre programme:

- s'inscrire à l'ambassade ou au consulat de votre pays (fortement recommandé pour tout séjour de trois mois et plus à l'étranger);
- contracter une assurance voyage;
- se doter d'un permis de conduire international si l'on compte louer une voiture à destination.

 Toutou vient avec nous

Si votre animal de compagnie est du voyage, assurez-vous qu'il est bien admis dans le lieu d'hébergement choisi à destination. Aussi, prenez bien note des formalités du transporteur aérien et du pays hôte. Les offices du tourisme, les ambassades et les consulats procurent de l'information sur les exigences à cet égard. Votre animal devra au moins être accompagné d'un certificat de santé détaillé. À votre retour, vous devrez également remplir des formalités similaires. Enfin, une visite chez le vétérinaire sera aussi nécessaire pour l'obtention de vaccins, de certificats et de conseils de voyage pratiques.

■ Préparez un dossier d'urgence

Afin de mieux se tirer d'affaire dans la triste éventualité où votre passeport serait perdu ou volé, préparez un «dossier d'urgence» dans lequel vous insérerez:

- une photocopie de la page d'identification de votre passeport;
- l'original de votre certificat de naissance ou de citoyenneté;
- une copie d'au moins une pièce d'identité valide avec photo pour confirmer votre identité et le nom qui figure sur le passeport;

- les adresses et numéros de téléphone d'urgence de l'ambassade et du consulat de votre pays de provenance dans le pays où vous projetez de «long-séjourner»;
- deux photographies récentes de vous répondant au format et aux exigences des photos de passeport.

Conservez votre dossier d'urgence dans un endroit sûr, séparément de tous les documents originaux mentionnés. Pour plus de sécurité et d'efficacité, confiez également une copie de votre dossier d'urgence à un proche dans votre pays de provenance.

 Budget de poche bien équilibré

Inutile d'apporter son coffre-fort avec tout l'argent prévu pour son long séjour. Il s'agit de bien équilibrer et de répartir ses ressources financières: cartes de crédit, cartes de débit, chèques de voyage, argent liquide. Chacune de ces ressources présente des avantages (ex.: chèques de voyage: renouvellement sans problème en cas de perte ou de vol) et des inconvénients (perte d'argent liquide et quelquefois difficulté à échanger les devises). À destination, répartissez votre fortune entre votre sac à main ou votre porte-documents de voyage ajustable à la ceinture, et le coffre-fort de votre lieu d'hébergement.

Faire le plein

Deux écoles de pensée:

- on arrive à destination les neurones complètement vierges en se disant qu'on aura tout le temps de s'enrichir sur les us et coutumes et sur la personnalité du pays et de sa population;
- on arrive à destination en costume de fin connaisseur et on passe vite en seconde vitesse.

Les adeptes de la première école, s'ils sont mûrs pour l'aventure, sont-ils nettement plus inconscients que ceux de la seconde école? En tout cas, ils prennent des risques.

Faire le plein est une étape importante dans la préparation de son long séjour. Lire sur les us et coutumes, assimiler les règles, s'enrichir sur les usages et prendre connaissance du profil du pays et de sa population, c'est éviter de faire des erreurs et c'est voyager avant l'heure. Si un voyageur averti en vaut deux, un «long-séjouriste» connaisseur est un véritable ambassadeur!

Si se goinfrer d'informations de toutes sortes est un gage, sélectionner des ressources fiables est plus sage. Voici quelques pistes:

- les guides de voyage de bonne réputation;

- les sites Internet officiels (des offices du tourisme, des ministères du tourisme et des Affaires étrangères, des ambassades et des consulats);
- les forums de discussion sur le voyage sur Internet.

Internet: comment cet outil peut faire toute la différence

Les réfractaires de l'ère Internet, s'il vous plaît, à vos claviers! C'est pour votre bien; vous verrez, les voyageurs qui ont aussi la qualité d'être internautes sont de grands gagnants de l'ère Internet et de son intrusion dans le domaine du voyage.

En effet, dans les différents domaines des produits de voyage, Internet fait toujours preuve d'efficacité. De plus, l'outil évolue bien et exploite tout aussi bien ses fonctionnalités et ses possibilités. En revanche, vous n'êtes pas confiant d'y faire directement vos achats en ligne? Pour l'instant, ne vous sentez pas obligé: Internet vous aidera quand même.

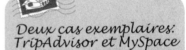

Deux cas exemplaires: TripAdvisor et MySpace

Deux raz-de-marée se produisent actuellement sur Internet: TripAdvisor et MySpace. Leur contenu de voyage (recommandations, photos, commentaires, suggestions, anecdotes, pages personnelles) est généré par le public. Plus de 20 millions de visiteurs pour TripAdvisor (quelque 50 millions pour MySpace) par mois sont intéressés par les commentaires et les évaluations de plusieurs millions de voyageurs de partout dans le monde.

■ À consulter de toute urgence

Les sites Internet des ressources officielles susceptibles de vous aider et de vous informer pour la préparation et la réalisation de votre voyage sont les premiers qu'il faut consulter de toute urgence: sites Internet des ambassades et consulats, des douanes de son pays de résidence et du pays hôte et des offices du tourisme.

Aussi, les sites de forums de discussion (ou d'échange, aussi appelés «wikis» et par qui nous sommes entrés dans l'ère du «réseautage social virtuel») gagnent du terrain sur le Web. Le phénomène s'apparente à un canal de distribution de l'information vieux comme le monde: le bouche à oreille. Ces forums sont également perçus comme étant plus crédibles et neutres que bien d'autres types de canaux de distribution, parce que la parole des uns n'est pas liée aux principes de la publicité, de la promotion (masquée ou non) et du marketing des autres. D'un côté, les participants aux forums offrent leur contribution de façon généreuse et sans attente aucune; de l'autre, ceux qui s'en abreuvent se sentent plus près, non pas du voyage le moins cher (préoccupation d'hier) mais du voyage parfait (préoccupation d'aujourd'hui).

Dans le cas qui nous occupe, les forums de discussion de voyage peuvent nous en apprendre plus qu'on en demande. Par exemple, Anita demande une bonne adresse à Émile, José raconte son expérience et Monica lui fait une suggestion; Michael attire l'attention sur un aspect et Justin lui répond qu'il aurait dû être attentif à tel autre aspect... Ces échanges peuvent vous fournir une foule de renseignements utiles.

Vous pouvez même infiltrer une discussion et poser des questions, et, comble du bonheur, les forums sont de plus en plus répertoriés par sujet, par destination, par thème, etc.

■ Évolution de l'outil

Si l'on résume les bienfaits d'Internet à ses utilisateurs qui projettent de voyager, on indique sans timidité qu'ils leur permettent dorénavant d'effectuer une gestion participative de toutes les étapes de planification. Dans la foulée des nouveaux services qu'offre Internet dans le domaine du voyage, il y a notamment les moteurs de recherche et de comparaison nouveau genre.

Par exemple, la formule du moteur de recherche Search Party *(www.searchparty.com)* élimine une légendaire source de frustration: le manque de transparence dans la tarification et les différents frais prélevés. Par exemple, à une requête d'un tarif hôtelier, il n'affiche pas seulement les résultats des meilleurs prix trouvés, mais aussi des éléments qui agissent, pour plusieurs voyageurs, comme facteurs d'influence dans le choix d'un établissement: la politique d'annulation, les modes de paiement acceptés et les termes liés à la transaction.

Il y a également des sites aux enchères, comme le célèbre eBay *(www.ebay.com)*, qui courtisent de plus en plus le marché des voyages. Et le marché des voyages les courtise: des fournisseurs d'hébergement réalisent que, par l'intermédiaire des sites aux enchères, ils peuvent améliorer la gestion de leurs inventaires et vendre plus facilement leurs unités durant les périodes moins achalandées.

D'autres encans touristiques en ligne font des vagues sur Internet, notamment Bidshares *(www.bidshares.com)*, qui propose des copropriétés de vacances à louer dans une variété de centres de villégiature; SkyAuction *(www.skyauction. com)*, où l'on offre des billets d'avion, des chambres d'hôtel, des croisières et des forfaits; et Generous Adventures *(www. generousadventures.com)*, dont la majorité des prestations listées constituent des dons (les profits sont versés à diverses organisations caritatives).

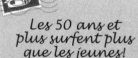

Les 50 ans et plus surfent plus que les jeunes!

Récemment, la maison de sondage Nielsen//NetRatings en Grande-Bretagne nous apprenait que plus des trois quarts des internautes âgés de 50 ans et plus avaient visité au moins un site lié au voyage. Plus encore, selon ce sondage, les 50 ans et plus magasinent et réservent en ligne plus régulièrement que les internautes plus jeunes! Conséquence: tout comme vous, des entreprises touristiques connaissent ces études et ciblent leurs produits en ligne au plus offrant!

Pour «long-séjourner» en santé

On le répète: à la différence du court séjour, le long séjour incite davantage le voyageur à l'immersion dans la communauté locale et à l'aventure hors des sentiers battus.

Et c'est là le seul incitatif qui devrait vous convaincre qu'un bilan de votre santé et de votre condition physique sont à prescrire dans la préparation du voyage.

■ Consultation précoce en clinique de santé

Dès l'instant où l'on connaît la destination de séjour, une visite dans une clinique de santé des voyageurs ne doit pas tarder. D'une part parce que certains vaccins doivent être administrés sur une période de plusieurs semaines avant le départ (certains impliquent aussi des doses et injections de rappel à différents intervalles). Quelques exemples:

- choléra: sept jours avant de partir. Zones sous surveillance: Afrique, Proche-Orient, Asie, Amérique du Sud;
- diphtérie: trois mois avant de partir. Zones sous surveillance: milieux tropicaux;
- fièvre jaune: 10 jours avant de partir. Zones sous surveillance: milieux tropicaux;
- poliomyélite: trois mois avant de partir. Zones sous surveillance: pays en voie de développement.

D'autres vaccinations et précautions sont conseillées, voire exigées dans certains pays, pour la variole, le paludisme, la tuberculose, la méningite à méningocoque, les hépatites A et B, la rage et la typhoïde.

D'autre part, une visite dans une clinique ne doit pas tarder parce que, selon votre bilan de santé, vous serez peut-être appelé à modifier certains aspects de votre long séjour (le choix de la destination si celle-ci présente trop de risques pour votre santé, mais aussi le choix de l'hébergement, son lieu et ses particularités – ex.: pas trop loin d'une clinique ou climatisation intégrée).

Votre curriculum santé dans un bracelet

Si vous avez un problème médical susceptible de vous causer des ennuis pendant que vous êtes à l'étranger, vous devriez porter un bracelet de type MedicAlert, lequel donne des renseignements essentiels sur votre état de santé. Dans le cas de MedicAlert, ces renseignements sont contenus dans une base de données accessible 24 heures sur 24 partout dans le monde.

Les agences de santé publique recommandent également d'avoir recours à une «évaluation de risque personnel» en s'adressant à son médecin ou à une clinique de santé-voyage. En se fondant sur les risques pour votre santé, le médecin déterminera les vaccins requis et quelles précautions spéciales vous devrez prendre à l'étranger.

Aussi est-il utile de rappeler que les jeunes enfants, les femmes enceintes ou qui allaitent et les personnes aux prises avec un problème de santé existant (chronique ou non) sont davantage à risque que les autres à destination. Une consultation portant sur leurs besoins spécifiques s'impose avant le départ. Enfin, selon l'âge du voyageur, son état de santé en général, son dossier médical, la destination choisie et la durée de son long séjour à l'étranger, il est parfois même recommandé de passer des examens «pré-voyage» dont on ne soupçonnait pas la pertinence, par exemple:

- une mise au point de la mécanique de surface (cholestérol, tension artérielle, pression, réflexologie, carence en calcium ou en fer, anémie, etc.);
- un examen de la vue (surtout si l'on prévoit conduire à destination);
- un examen dentaire (surtout si l'on souhaite se régaler à destination!).

■ La problématique propre au long séjour

Des études et des observations ont démontré que, pour certains problèmes de santé reliés aux voyages et aux séjours en territoire étranger, les voyageurs longue durée sont plus à risque que ceux dont le séjour est de courte durée. Il est en effet démontré que plus le séjour est long, plus le voyageur a tendance à prendre des risques, et ce, de façon consciente et inconsciente.

La façon consciente est notamment de croire, à tort, un moment donné durant le séjour, que son corps et son organisme se sont accoutumés aux microbes

Internet: un médecin à consulter

La direction générale des affaires consulaires de votre pays, mais aussi d'autres pays, ou encore l'Organisation Mondiale de la Santé *(www.who.int)* ont mis en ligne des sites Internet qui offrent des renseignements généraux et spécifiques notamment sur les destinations touristiques dans le monde. On y retrouve les maladies et les épidémies de l'heure qui sévissent, les conditions actuelles, les avis de voyage et les précautions à prendre avant le départ. À consommer sans modération.

Santé en voyage

Au moment de la consultation avec votre médecin en santé-voyage, posez des questions sur les médicaments génériques de la lignée de ceux que vous devrez prendre en cours de séjour. En cas de difficulté pour l'approvisionnement, vous trouverez plus facilement des équivalences, sinon des renseignements sur ces médicaments pouvant être utiles en cas de problème.

locaux. Certaines personnes commencent alors, par exemple, à boire l'eau du robinet, à se brosser les dents également avec l'eau du robinet ou encore à manger des fruits et des légumes crus lavés avec cette même eau. Et bonjour la diarrhée du voyageur, communément appelée la «turista»!

La façon inconsciente se manifeste par une disparition progressive de la vigilance causée par une habitude à son nouveau rythme de vie, une habitude toujours plus confortable qui s'installe au fil des semaines. L'inconnu devient connu, l'inhabituel devient habituel, et voilà que l'immersion a pris le dessus sur l'adaptation.

On se permet alors des relations sexuelles avec des personnes du pays visité, on se dit que le soleil est devenu l'ami de notre peau et adieu la crème solaire, on s'invite même à déguster ce mollusque interdit depuis le début et qui a dorénavant l'air inoffensif...

■ Où se renseigner: contacts, références, ressources et pistes

À bâbord de l'Atlantique:

- Cliniques santé-voyage au Canada: *www.phac-aspc.gc.ca*
- Agence de santé publique du Canada: *www.santevoyage.gc.ca*
- Clinique du voyageur – Montréal: *www.cliniqueduvoyageur.com*

- Cliniques santé-voyage au Québec: *www.supervoyage.ca*
- Centre santé-voyage de Québec: *www.santevoyage.net*
- TravelVacs (précautions à prendre à l'étranger et vaccins): *www.travelvacs.ca*
- Travelers' Health – Centres de contrôle et prévention de la santé: *www.cdc.gov/travel*

Prévoyez...

Il est impératif de poursuivre, tout au long du séjour, la médication préventive prescrite contre certaines maladies comme la malaria. Pour ce faire, ayez un œil attentif sur la quantité nécessaire des médicaments à emporter.

À tribord de l'Atlantique:

- SMI – Service Médical International – voyage et santé: *www.smi-voyage-sante.com*
- Ministère de la Santé: *www.sante.gouv.fr*
- Services des maladies infectieuses et tropicales: *www.mit.ap-hm.fr*
- Comité d'informations médicales pour voyageurs et expatriés (CIMED): *www.cimed.org*
- Institut Pasteur: *www.pasteur.fr*
- Institut de veille sanitaire: *www.invs.sante.fr*

Aussi:

- Organisation Mondiale de la Santé: *www.who.int*
- TropiSanté (référence sur les maladies qui sévissent dans les pays et les vaccinations recommandées notamment pour les «longs-séjouristes»): *www.tropisante.com*

■ «J'ai des allergies alimentaires. Puis-je «long-séjourner» sans risque à l'étranger?»

L'estomac est l'un des grands patrons de la santé, et il est très sollicité en voyage. Certaines personnes lui attribuent même la présidence à l'occasion de circuits gastronomiques ou encore d'immersions buccales en terroir étranger.

Cela dit, pour les personnes souffrant d'allergies alimentaires, les longs séjours à l'étranger sont une bonne et une mauvaise nouvelle.

On commence toujours par la mauvaise nouvelle

Les personnes souffrant d'allergies le savent: les situations nouvelles et les modifications de la routine quotidienne sont plus susceptibles de provoquer des expositions accidentelles. Imaginez un voyage à l'étranger! En plus, les allergies – et particulièrement celles alimentaires – tuent une bonne dose de spontanéité en voyage.

On termine toujours par la bonne nouvelle

La bonne nouvelle est le type d'hébergement normalement privilégié par les «long-séjouristes». On loue une copropriété, un appartement, un bungalow, une maison ou une villa. Le dénominateur commun? La cuisinette! Les personnes souffrant d'allergies le savent: faire soi-même ses courses et sa popote est le seul moyen d'avoir un plein contrôle sur sa nourriture et ainsi éviter les incidents.

Autres conseils:

· Préférez une destination où les allergies alimentaires ne sont pas ignorées, où les critères d'hygiène sont stricts et où l'aliment pour lequel vous avez une intolérance n'est pas une spécialité locale;

· si vous choisissez de «long-séjourner» dans un hôtel ou si vous louez une résidence hôtelière notamment dans le but de prendre des vacances aussi de la cuisinière, préférez dans ce cas-là un lieu de catégorie supérieure ou de renom pour sa cuisine;

· rédigez une liste des aliments et combinaisons alimentaires que vous devez éviter et faites traduire cette liste dans la langue du pays visité. Au marché, à la cantine ou au restaurant, présentez cette liste pour qu'on comprenne mieux vos besoins.

Autres trucs et astuces pour «long-séjourner» sans stresser

Avant le départ:

· Dès que vous avez fait votre choix de destination, consultez votre médecin spécialiste, qui vous informera des risques, des précautions à prendre, des vaccins obligatoires ou recommandés ou encore qui vous prescrira des médicaments appropriés;

· n'hésitez pas à mettre quelques aliments non périssables de base dans vos bagages (idéalement ceux qui prennent peu de place);

· également dans les bagages, tout médicament contre les symptômes allergiques ou solution d'urgence pour ralentir les symptômes en attendant de pouvoir se rendre à l'hôpital;

· commandez un repas spécial auprès de la compagnie aérienne ou du transporteur ferroviaire, car ils ont tous un choix élaboré de menus spéciaux;

· si vous souffrez d'allergies sévères, réservez un hébergement situé le plus près possible d'un établissement de santé ou sinon près d'un centre urbain.

Une fois à destination:

· En arrivant, repérez l'établissement de santé le plus près, au cas où…;

· dans les restos, demandez les aliments les plus bruts possibles (idem dans les marchés);

- si vous «long-séjournez» en chambre d'hôte, demandez à avoir accès à la cuisine pour la préparation des aliments;
- sachez et gardez en mémoire que les règles d'étiquetage varient d'un pays ou d'un continent à l'autre. Par exemple, un pays peut exiger une mention de traces d'un aliment X si ce dernier constitue une proportion de 10% et plus dans la nourriture, tandis qu'un autre pays exigera une mention seulement si un taux de 20% est atteint. Un écart qui peut être mortel pour un cas sévère.

Quelques références sur le Web:

- AllergieNet: *www.allergienet.com*
- Association québécoise des allergies alimentaires: *www.aqaa.qc.ca*
- Infos et carte des pollens aux États-Unis: *www.allernet.com*
- Déjouer les allergies alimentaires: *www.dejouerlesallergies.com*
- Le Journal des allergies: *www.allergique.org*
- GlutenFree Passport (en français): *www.glutenfreepassport.com*

Les expatriés: suivez le guide...

Communément appelés les «expats», les expatriés sont ces gens qui vont vivre dans un pays étranger principalement pour des raisons professionnelles ou pour la retraite. Aujourd'hui, leur nombre est à ce point considérable, et les coûts rattachés à leur expatriation si importants, que plusieurs ressources ont vu le jour dans le monde pour venir en aide et apporter un soutien à ces ressortissants de leur pays qui s'expatrient à l'étranger.

L'éventail de ces ressources se détaille en plusieurs formats et exemplaires: associations d'aide, regroupements de soutien, magazines d'information, agences de recherche et de services, sites Internet pour «expats» et communautés virtuelles d'«expats».

Ces ressources et associations n'ont pas un mandat d'agence de voyages pour organiser de longs séjours touristiques. Si elles sont destinées à soutenir les expatriés qui quittent un lieu *A* pour s'établir définitivement dans un lieu *B* (ou sinon pour un très, très bon bout de temps), et donc, même si toute l'information qu'elles véhiculent ne s'applique pas aux vacanciers longue durée (ex.: transfert de comptes bancaires à destination), ces ressources constituent néanmoins d'excellentes références pour les «long-séjouristes».

Parmi les services et renseignements qu'elles donnent et qui nous intéressent, il y a entre autres:

- des conseils pratiques pour mieux emménager et s'adapter dans une destination étrangère;
- de bonnes adresses à l'étranger (souvent fournies par les «expats» sur place); ex.: maisons ou appartements à louer, succursale ou représentation de l'association à destination;
- des petites annonces;
- des pistes où s'approvisionner à destination (ex.: magasins où l'on retrouve des marques internationales ou magasins dits «diplomatiques»);

- un lexique local, par exemple, comment appelle-t-on un supermarché en Australie? Quel est l'équivalent d'une pharmacie de chez nous à New York?, etc.

Si certaines de ces ressources réservent leur expertise aux vrais expatriés (certaines n'entretiendront pas de contact avec les personnes qui recherchent un conseil pour partir en vacances), les faux expatriés que sont les «long-séjouristes» peuvent tout de même consulter leur site Internet.

Magasins diplomatiques vs des «expats»

Les magasins diplomatiques sont principalement destinés aux employés des ambassades et consulats et aux expatriés en mission diplomatique à l'étranger. Donc, a priori non accessibles aux voyageurs «long-séjouristes» d'agrément. Mais il n'est pas interdit de s'informer. Toutefois, ces magasins sont parfois d'un secours bien limité; certains résument leur marchandise à l'inventaire type des boutiques hors taxes dans les aéroports.

Si les achats sur Internet ne vous effraient pas, jetez alors votre dévolu sur les boutiques des expatriés en ligne, qui proposent un éventail plus élaboré d'articles et marchandises.

Les forums de discussion gagnent grandement à être consultés, car ils sont principalement alimentés par les «expats» eux-mêmes. Un conseil: consultez les forums des ressources de votre pays d'origine (un Français consultera l'Union française). Les renseignements et commentaires qu'on y trouve proviennent d'individus qui nous ressemblent et dont on comprend le langage et les subtilités du langage, et qui, par affinités culturelles et géographiques, ont donc probablement les mêmes sensibilités que nous.

Voici les bonnes adresses Internet:

- *www.expat-magazine.com*
- *www.expats-welcome.com*
- *www.expat-blog.com/fr* (rubrique «entre francophones dans le monde»)
- *www.expatfocus.com*
- *www.expat.org*

Ressources pour les Canadiens à l'étranger:

- Affaires Étrangères Canada: *www.voyage.gc.ca* (information et assistance aux Canadiens à l'étranger)
- Canuck Abroad: *www.canuckabroad.com* (pour les expatriés canadiens à l'étranger et les Canadiens qui veulent voyager à l'étranger)

Ressources pour les Français à l'étranger:

- France-Expatriés: *www.france-expatries.com*
- Union des Français de l'étranger: *www.ufe.asso.fr*
- Association Démocratique des Français à l'Étranger: *http://adfe.asso.fr*
- Fédération Internationale des Accueils Français et francophones à l'étranger: *www.fiafe.org*

Ressources pour les Belges à l'étranger:

- Union Francophone des Belges à l'étranger: *www.ufbe.be*

Ressources pour les Suisses à l'étranger:

- Expatriés Suisses: *www.expatries-suisses.com*

Comment préparer sa longue absence

Partir pour l'ailleurs, c'est forcément quitter l'ici. Lorsque le séjour s'étend sur une longue période, on doit certes préparer minutieusement sa présence là-bas, mais aussi son absence ici, et ce, sur le plan matériel comme sur le plan relationnel. Car à l'occasion d'un long séjour, on ne remise pas seulement ses clefs; on remise également sa vie au quotidien.

À la différence d'un séjour de courte durée, celui de longue durée nécessite de bien étudier le terrain où l'on souhaite poser ses bagages, mais nécessite aussi, en simultané, de très bien étudier la façon de quitter celui qu'on laissera derrière soi, le nôtre au quotidien, pour éviter que l'inquiétude s'installe une fois rendu sous d'autres cieux. Et ce terrain se détaille de plusieurs composantes: sa résidence, ses droits acquis et établis, sa famille, ses amis et son réseau de la santé.

Comment trouver le chemin qui mène au pays où vit son désir? En renonçant à ses désirs. La couronne d'excellence, c'est le renoncement. - Hafiz

Quitter son domicile

■ La résidence

L'exercice consiste à faire comme si vous y étiez même si vous n'y êtes pas. Alors soyez astucieux, pensez aux voleurs qui usent de multiples subterfuges pour repérer une résidence dénudée de présence et sans surveillance.

Quelques conseils

Vous n'êtes pas obligé d'aviser tout le quartier que vous quittez votre domicile pendant six mois. Si c'est plus fort que vous, annoncez que vous avez déniché un locataire (fictif, mais vous ne le dites pas) qui occupera votre domicile durant votre absence.

Trouvez-vous sinon un locataire de confiance: une cousine lointaine en séjour d'études dans votre région, un ami à la recherche d'un lieu de détente où s'évader les week-ends, etc. Si cette éventualité se concrétise, entendez-vous sur les frais fixes à payer (chauffage, téléphone, etc.).

Dans un pays comme le Québec, où l'hiver rime avec flocons de neige, donnez à contrat le déneigement de votre allée pour véhicule, mais aussi de votre entrée domiciliaire. Quarante centimètres de neige devant la porte sont aussi une invitation aux intrusions.

D'autres gestes et précautions sont conseillés: installez des minuteurs automatiques pour déclencher différents éclairages à différents moments de la journée (minuteurs idéalement à piles, qui continueront à fonctionner lors d'une panne de courant). Aussi, donnez à contrat la tonte de votre pelouse (l'herbe non entretenue est une autre invitation au vol).

Enfin, si vous avez une confiance absolue en votre contremaître ou votre ami bricoleur, profitez-en, durant votre absence, pour faire entreprendre des travaux (intérieurs mais davantage extérieurs) qui ne nécessitent pas votre présence. En guise d'acte de présence, alors là, ce serait la totale!

Quelques impératifs

Même si vous avez une assurance habitation béton et qu'une personne de confiance effectue une tournée de votre résidence pour s'assurer qu'elle est encore bien en place, plusieurs précautions doivent être prises:

· débranchez tous les appareils électriques qui ne doivent pas être impérativement alimentés;

- videz l'eau de tous vos réservoirs (climatiseur, pompe, appareils ménagers, humidificateur) et fermez l'accès à l'eau de votre résidence, s'il y a lieu (pour éviter le gel de la tuyauterie, surtout durant l'hiver québécois);
- mandatez une personne de confiance pour ramasser le courrier «anonyme» (publicités, circulaires, sondages).

Que dit l'assureur habitation?

Vous partez pendant trois mois et vous laissez donc votre résidence inoccupée pendant tout ce temps. Votre assureur vous pénalisera-t-il en cas de vol ou sinistre? Non, mais attention: ayez la preuve requise solide, soit qu'une «personne compétente» se rendait à votre résidence de façon régulière (au moins une fois par semaine) pour surveiller et faire un état des lieux. Par «personne compétente», on entend un adulte apte à se déplacer et d'une assiduité à faire rougir les montres suisses.

Deux autres démarches sont requises: avisez votre assureur de la date de votre départ et de celle de votre retour, puis fournissez-leur les coordonnées d'une personne de confiance à contacter en cas de pépins (votre «personne compétente» par exemple).

■ Le courrier

Pour éviter que vos journaux et magazines s'accumulent aux yeux de personnes indiscrètes, annulez leur livraison – ou transférez votre abonnement à un tiers – et faites suivre votre courrier. À ce sujet, pour toute la durée de votre long séjour à l'étranger, trois possibilités:

- faites retenir votre courrier (aussi appelé «garde du courrier») par la succursale de quartier de votre facteur;
- faites suivre votre courrier vers une boîte postale (tarif et disponibilité selon la localité);
- faites suivre ou réexpédier votre courrier chez une connaissance.

■ Les comptes

Prépayez vos factures ou prévoyez suffisamment de fonds dans vos comptes bancaires pour les prélèvements automatisés. Et n'oubliez personne, de l'assureur habitation, voiture et vie à l'hypothèque, en passant par le chenil et autres services auxquels vous avez recours.

Adressez aussi des chèques postdatés à tous vos fournisseurs de biens et services (électricité, téléphone, câblodistributeur, etc.). Faites-en de même pour vos cartes de crédit, pour lesquelles non seulement vous éviterez des pénalités et intérêts sur les intérêts, mais aussi vous libérerez votre marge de limite autorisée et éviterez qu'on en suspende l'utilisation faute de paiements périodiques.

Une gardienne pour la maison

Certaines sociétés de surveillance, surtout en Europe, offrent des services de gardiennage résidentiel pour les gens qui partent en vacances et qui souhaitent une surveillance assidue de leur propriété. Certaines de ces sociétés proposent aussi leurs services pour l'entretien de vos plantes, du terrain, etc. Mais tout cela coûte cher, par contre... Deux contacts en France: ADSP 75 *(www.adsp75.com)* et ACIS Sécurité *(www.acis-securite.com)*. En Belgique: Optimum Security *(www.optimum-security.be)*.

■ Du chien aux plantes

De la tortue au chien, en passant par les poissons rouges et la souris, si votre animal de compagnie n'est pas du voyage, il vous faudra définitivement trouver un endroit pour le faire garder. Et oubliez l'idée que le chat est un animal solitaire qui peut rester seul six mois en autant qu'il ait son renouvellement d'eau et de nourriture aux trois jours. Un animal de compagnie est, comme son nom l'indique, un être de compagnie. Laissé seul pendant longtemps, l'animal aura obligatoirement des écarts de conduite, allant du développement de mauvaises habitudes comme uriner un peu partout dans la maison jusqu'au développement d'un comportement sauvage (ex.: griffer tout se qui bouge et ne bouge pas) par manque de contact avec ses proches.

Aussi, si votre animal ne «long-séjourne» pas dans un chenil, refuge ou autre garderie pour animaux, préférez une famille d'accueil qui vous ressemble le plus possible en matière de mode de vie (nombre d'enfants, autres animaux à la maison, bruits), et pour deux raisons:

- le choc culturel peut aussi se faire sentir chez un animal et avec de lourdes conséquences (soit il devient fou, soit il rend fou son hôte par ses agissements inconséquents, ce qui lui vaudra peut-être une rupture de bail non souhaitable);
- si le long séjour de votre animal a été pénible, vous risquez de retrouver une bête avec un comportement autre que celui que vous lui connaissiez.

Quant aux plantes, si vous ne pouvez compter sur quelqu'un de confiance pour leur administrer leur boisson hebdomadaire à votre domicile (ex.: une amie, un voisin, la concierge de l'immeuble, un gardien), faites-les garder chez un proche ou une connaissance, ou pourquoi pas en faire don à un organisme communautaire près de chez vous.

Quitter ses droits acquis et établis

«Long-séjourner» à l'étranger, c'est aussi quitter, temporairement, certains de ses droits acquis et établis. Voici quelques directions à suivre.

Il n'est pas de détresse pour celui qui a abandonné tout souci, qui s'est libéré de toutes parts, qui a rejeté tous ses biens. - Bouddha

■ L'imposition sur les revenus

Toute personne qui séjourne plusieurs semaines ou une partie de l'année à l'étranger, et ce, tout en maintenant ses liens de résidence avec son pays de résidence permanente, continue à payer ses impôts comme avant.

■ Les droits des ressortissants

Les droits qui vous protègent dans votre pays de résidence permanente sont peut-être différents de ceux en vigueur dans le pays où vous «long-séjournerez», et ces droits, même s'ils sont en vigueur dans le pays visité, ne vous assurent pas une protection pleine et entière. De plus, votre passeport n'est pas un sauf-conduit pour tout.

■ Les régimes gouvernementaux d'assurances maladie et santé

Au Canada

Chers Canadiens, vous le savez, les régimes d'assurance maladie des provinces canadiennes offrent aux voyageurs une couverture limitée pour les absences provisoires. Habituellement, la période maximale est de trois mois. Cependant, cette assurance est souvent insuffisante pour couvrir les coûts des services médicaux dans certains pays, car les prestations qu'accordent les régimes provinciaux pour les soins reçus à l'étranger reflètent les barèmes qu'ils appliquent aux prestataires de soins de santé au Canada. Et ces barèmes sont fixés en fonction des ressources du réseau canadien de la santé. Or, dans plusieurs cas, le coût d'une hospitalisation à l'étranger représente le double, voire le triple des tarifs autorisés par les régimes canadiens. Pour toutes ces raisons, il est donc indispensable de se procurer une assurance-maladie privée (voir le chapitre «Les programmes d'assurance voyage», p 89).

Ce que les «long-séjouristes» doivent savoir: après une absence prolongée, six mois en général, les voyageurs n'ont plus droit au régime d'assurance maladie de leur province. Pour conserver votre assurance maladie, vous devez, dans la plupart des cas, être présent dans votre province de résidence pendant au moins 183 jours par année civile. Cette exigence s'explique par le fait que, lorsque vous êtes à l'étranger, vous ne payez pas la taxe de vente provinciale ni celle sur les produits et services, qui toutes deux font partie du mode de financement des soins de santé.

Autrement dit, pour s'assurer de demeurer couverte par le régime d'assurance maladie pendant son absence, une personne qui quitte sa province canadienne pour un long séjour temporaire à l'étranger est tenue d'aviser la Régie de l'assurance maladie avant son départ si son ou ses séjours à l'extérieur de la province au cours d'une même année civile totalisent 183 jours ou plus (consécutifs ou non).

Deux particularités et exceptions:

· les absences de 21 jours ou moins ne sont pas prises en compte dans le calcul;
· une personne peut demeurer assurée par la Régie à l'exception suivante: si elle quitte le Québec pour plus de 183 jours au cours d'une même année civile, à condition que cette absence n'ait lieu qu'une fois tous les sept ans.

Si, après un séjour prolongé à l'étranger, vous n'êtes plus couvert par l'assurance maladie provinciale, vous devrez peut-être attendre pendant une certaine période à votre retour au Canada avant qu'elle ne vous couvre de nouveau. À ce sujet, certains régimes d'assurance offerts aux Canadiens qui voyagent à l'étranger comprennent une protection pour cette période d'attente lors du retour au Canada. Si l'assurance que vous avez souscrite pour un séjour à l'étranger ne la couvre pas, il existe des polices pour les «visiteurs au Canada» que vous pourriez acheter pour vous protéger. Habituellement, il faut les acheter immédiatement en arrivant au Canada. À noter que la plupart des assurances pour «visiteurs» excluent les maladies préexistantes.

Certaines provinces n'imposent pas de délai si le voyageur renonce à l'assurance du régime provincial pendant son absence. Dans ce cas, le voyageur est couvert dès la date de son retour, même s'il a «long-séjourné» à l'étranger plus de six mois. Avant de partir, renseignez-vous auprès du ministère de la Santé de votre province pour savoir exactement de quelle protection vous bénéficierez.

Pour connaître le fonctionnement du Régime canadien de l'assurance maladie en cas de pépins à l'étranger, consultez le chapitre portant sur les assurances (voir p 94).

Information: **Régie de l'assurance maladie – volet Québec (RAMQ):** *www.ramq.gouv.qc.ca*

Qui aviser de mon départ?

> Vos assureurs;
> votre système national de protection de la santé (selon la durée de votre absence);
> les institutions qui effectuent des suivis et renouvellements périodiques auprès de vous (ex.: la révision de votre statut pour votre régime d'épargne, le renouvellement de contrat de votre prêt hypothécaire, le renouvellement de votre permis de conduire);
> les personnes qui travaillent (en principe) pour vous (ex.: comptable et courtier de toutes spécialités).

En Europe

Des dispositions similaires à celles du Canada prévalent en Europe. Par exemple, en France, les citoyens peuvent bénéficier de l'application de l'article R 332-2 du Code de la sécurité sociale, dans le cas de soins inopinés engagés à l'étranger (soins imprévisibles et immédiatement nécessaires): vous devrez faire l'avance des frais et garder les justificatifs (feuilles de soins, factures et autres) que vous remettrez ensuite à votre caisse d'assurance maladie dès votre retour en France. Le remboursement, qui pourra être effectué par votre caisse d'affiliation, sera un remboursement forfaitaire dont le montant ne pourra pas excéder le remboursement qui aurait été alloué si les soins avaient été donnés en France.

Information: **Centre des Liaisons Européennes et Internationales de Sécurité Sociale:** *www.cleiss.fr*

■ La double citoyenneté

Dans plusieurs pays, les ressortissants ont le droit de détenir plus d'une nationalité. Mais cette double nationalité peut causer problème. Par exemple, pour un Canadien, sa citoyenneté canadienne risque de ne pas être reconnue par l'autre pays dont il est aussi citoyen, et les autorités de ce pays peuvent même empêcher le Canada de lui fournir une assistance consulaire, en particulier si, par choix personnel ou conformément à la loi du pays, il ne présente pas son passeport canadien pour entrer dans le pays.

Si vous êtes considéré comme un ressortissant du pays visité, vous pourriez être obligé de faire le service militaire, de payer des impôts spéciaux ou faire l'objet d'un contrôle poussé de la part des agents de l'immigration et des responsables de la sécurité.

Pour éviter toute surprise désagréable, faites les vérifications qui s'imposent.

Comment gérer de là-bas ce qui se passe chez soi?

C'est une bien mauvaise question à se poser! En fait, envisager d'y répondre est un bien mauvais départ. Une des meilleures recettes pour gâcher ses vacances, c'est de tenter de gérer, à destination, la vie qui se trouve désormais à des milliers de kilomètres de nous. Voyez aux détails avant et non pendant.

Quitter ses réseaux familial et amical

Le sujet mérite un sous-chapitre et pour cause: les réseaux familial et amical prennent une importance telle dans notre vie qu'ils sont parfois la cause… de notre départ. Paradoxe? Oui et non. Mais l'être humain n'est-il pas naturellement constitué de paradoxes?

En fait, la démocratisation du voyage a mis le séjour en territoire étranger dans la liste des évasions permettant à quelqu'un de fuir un environnement quotidien jugé nuisible ou portant atteinte à sa tranquillité d'esprit. Pour certaines personnes, cela réussit bien. Pour d'autres, c'est un peu plus compliqué.

Pour éviter la panique à la maison

Tous les ans, les services consulaires de votre pays reçoivent des milliers d'appels de la part de parents ou d'amis inquiets de ne pas avoir reçu le coup de téléphone promis de celui qui séjourne à l'étranger. Pour éviter la panique, n'oubliez donc pas de téléphoner chez vous de temps à autre, surtout si vous avez promis de le faire.

Ce qu'il faut retenir, c'est que si notre désir de partir pour un long séjour à l'étranger repose sur une volonté de quitter ses réseaux familial et amical, il faut être certain d'être bien équipé pour assumer son exil pendant toute la durée du voyage. L'équipement dont il est question fait notamment référence à notre expérience en matière de partances et à notre capacité, dans le passé, de se retrouver sans ses pairs dans une destination étrangère. En réalité, pour ne pas se tromper et éviter les mauvaises réactions à destination (regrets, remords, ennui à mourir, dépenser une fortune en appels téléphoniques pour avoir des nouvelles de la maison), l'astuce la plus saine serait de vouloir «partir» plutôt que de vouloir «quitter». Pour se rappeler le profil idéal du «long-séjouriste», lire ou relire le chapitre «Partir à l'étranger pour un long séjour: est-ce pour moi?» (voir p 12).

À l'inverse, nos réseaux familial et amical sont parfois même la cause de notre «peur de l'avion». En effet, des études sérieuses sur ce phénomène ont démontré que nombre de voyageurs qui affirmaient avoir une peur bleue de s'asseoir dans un «oiseau de métal» croyaient qu'elle était liée à des raisons techniques (la peur d'un écrasement est la plus classique), alors que finalement on découvrait que la source de cette peur résidait dans l'idée de laisser ses proches derrière soi pour partir à l'étranger.

Ses amis dans le budget

À destination, vous voudrez certainement prendre des nouvelles de vos proches, qui seront également ravis d'en avoir de vous. Dans l'élaboration de votre budget voyage, prévoyez les coûts à défrayer pour vos communications (Internet ou téléphone). Deux avenues intéressantes:

> à destination, préférez les correspondances par Internet (elles sont généralement moins coûteuses que les appels téléphoniques): munissez-vous d'une adresse électronique ou vérifiez auprès de votre serveur actuel les options par lesquelles il vous sera possible de consulter vos courriels peu importe où vous vous trouverez dans le monde;

> avant de partir, informez-vous des services offerts par votre fournisseur en téléphonie qui vous permettront de faire des économies sur les interurbains (ex.: le service Canada Direct, pour les Canadiens).

 On abandonne nos amis qui sont proches de notre maison pas parce qu'on ne les aime pas; c'est parce qu'on veut aller vivre d'autres aventures avec d'autres gens, ailleurs... - Taïna, 7 ans

Quitter son réseau de la santé

Quitter son réseau de la santé, c'est quitter un système dont on connaît le fonctionnement (qu'on en soit fier ou non!), et c'est quitter aussi l'accessibilité à des soins de santé dans sa langue maternelle.

Malade ou accidenté, dans l'un ou l'autre cas, on est plus vulnérable. Que votre santé soit à toute épreuve ou qu'elle soit fragilisée en raison d'une maladie connue et déclarée, il est fortement conseillé de s'informer, avant le départ, sur le mode de fonctionnement du système de santé du pays où vous «long-séjournerez». À questionner notamment: «Si je tombe malade, où dois-je me présenter? Dans une pharmacie, dans une clinique, dans un hôpital? Où dois-je me rendre pour l'approvisionnement en médicaments?».

Pour ce qui est de la langue, à moins de maîtriser celle d'usage dans le pays visité, faites traduire vos ordonnances et les passages les plus pertinents du dossier médical que vous apportez avec vous en voyage.

Enfin, si vous êtes anxieux à l'idée de «long-séjourner» loin de votre système de santé, c'est peut-être tout simplement parce qu'il vous manque de l'information. N'y a-t-il pas un proverbe qui dit qu'on n'a peur que de ce que nous ne connaissons pas? Autre conseil: demandez à votre médecin traitant ou au consulat du pays visité de vous fournir le nom d'un médecin à destination qui parle votre langue. On ne sait jamais…

Attention aux médicaments

Certains médicaments en vente libre dans votre pays sont interdits dans d'autres pays ou ne se vendent que sur ordonnance. Si vous prévoyez vous réapprovisionner à destination, renseignez-vous pour savoir si la vente de vos médicaments y est autorisée. Aussi, avant de vous rendre dans certains pays, il est également conseillé d'obtenir une note de votre médecin précisant les raisons médicales de votre ordonnance et la dose prescrite.

Enfin, si vous utilisez des seringues (ex.: pour traiter votre diabète), il est important d'en emporter une quantité suffisante. Il vous faudra également, pour le transporteur aérien et pour les autorités du pays visité, un certificat médical attestant que ces seringues sont destinées à votre usage médical personnel.

Formalités

Plus souvent qu'autrement, les règles en matière de libre circulation des touristes ont été établies sur des périodes de temps relativement courtes (généralement moins de 90 jours, quelque fois moins de 30 jours), mais largement suffisantes si l'on tient compte de la durée moyenne des séjours touristiques à l'étranger. Le «long-séjouriste», avec ses envies de farniente doré longue durée, devra donc être très attentif à l'égard des formalités d'entrée mais aussi de sortie du pays convoité.

Les formalités à respecter pour entrer dans les pays

■ Regard sur les documents et questions à se poser

Voici une liste des documents qui peuvent être nécessaires ou fortement recommandés d'avoir en sa possession:

- passeport valide;
- visa touristique;
- permis de conduire international;
- carte de touriste;
- carnet de santé (vaccins);
- carnet de santé de votre animal de compagnie (s'il y a lieu);
- une preuve que vous quitterez le pays visité un jour ou l'autre (ex.: un billet d'avion de retour);
- une preuve de ressources financières suffisantes pour toute la durée de votre séjour (ex.: carte de crédit, chèques de voyage);
- une preuve que vous avez un emploi qui vous attend dans votre pays d'origine (ex.: une lettre de l'employeur ou une preuve de versement de salaire);

Voyager avec quel passeport?

Si vous avez plus d'une nationalité et possédez donc plus d'un passeport, il est à votre avantage de voyager avec celui dont le drapeau national a la meilleure réputation dans le pays visité.

- une lettre officielle (ex.: notariée) attestant que l'autre parent (si celui-ci est absent du voyage) vous autorise à sortir de votre pays en compagnie de votre enfant;
- une preuve de résidence temporaire à destination (ex.: l'adresse et le nom du propriétaire de la maison que vous louez).

Les questions à se poser avant le départ:

- la durée de validité de mon passeport doit-elle être supérieure de plusieurs mois à celle de mon long séjour dans le pays?
- le visa touristique obligatoire est-il d'une durée suffisante pour mon long séjour?
- quels sont les documents ou les preuves que je devrai présenter à mon arrivée dans le pays?

■ Regard sur les formalités à respecter

En matière de formalités d'entrée, ce qui est vrai aujourd'hui ne le sera pas nécessairement demain. En revanche, une chose demeure totalement vraie: ni vos beaux yeux, ni la bonne réputation du drapeau national de votre pays (si c'est le cas, bien

Un passeport pour mes objets de grande valeur

Le gouvernement français suggère à ses ressortissants de se prémunir de la «carte de libre circulation», qui facilitera le passage à la douane étrangère. Sur cette carte, vous pouvez faire figurer tout objet, neuf ou d'occasion, quelle que soit son origine, que vous transportez habituellement dans vos bagages, comme les appareils photo, les caméscopes, les téléphones portables, etc. Son utilité: confirmer que les objets en votre possession sont bien à vous et qu'ils ont été acquis de façon légale. La «carte de libre circulation» est gratuite, valable pour 10 ans à partir du jour de sa délivrance et renouvelable. Elle se veut en quelque sorte le passeport de vos objets personnels. Vous pouvez la faire établir dans n'importe quel bureau de douane en présentant vos objets accompagnés des pièces justificatives (factures, quittances de douane, certificats de garantie, etc.) ou immédiatement au point d'entrée du territoire (port, aéroport, bureau frontière). Information: *www. douane.gouv.fr.*

sûr) ne vous feront passer la douane étrangère si vous ne présentez pas tous les documents exigés.

Qui plus est, ce qu'on exige de votre part n'est pas forcément ce qu'on exige de la part de votre cousin français ou de votre tante suisse; parce que celle-ci a une double nationalité et pas vous, parce que le président de son pays a de meilleures relations d'affaires que le vôtre avec le premier ministre du pays visité. Il peut dépendre même, dans le cas d'un long voyage combinant plusieurs destinations, de quel pays vous provenez au moment de franchir les douanes d'un autre pays. Aussi, signe des temps où les mouvements des peuples donnent lieu à toutes sortes de chassés-croisés, un «long-séjouriste», uniquement de par la durée de son séjour, est parfois plus suspect qu'un «court-séjouriste» aux yeux des autorités...

Cela dit, les formalités d'entrée mais aussi de sortie à respecter sont capitales, changeantes et très variées. Le meilleur conseil: informez-vous à l'avance des modalités de ces formalités et surtout, attention à vos sources! Développez des allergies à des phrases comme celles-ci: «Je pense que vous n'avez pas besoin d'un visa», «Si ma mémoire est bonne, votre passeport doit être valide seulement pour la durée du séjour» ou encore «Je n'ai jamais entendu dire qu'une preuve notariée était demandée»... La référence ultime pour connaître les formalités à respecter est le consulat du pays que vous souhaitez visiter. Et n'oubliez pas non plus de présenter votre itinéraire de voyage si celui-ci combine plus d'un pays.

Ce que les ambassades et les consulats peuvent et ne peuvent pas faire pour vous

On ne sait pas toujours pourquoi, mais les ambassadeurs, consuls et autres têtes dirigeantes des Affaires étrangères relatent trop souvent que leurs ressortissants, lorsqu'ils séjournent sur une longue période dans un pays étranger, se retrouvent parfois

Entendu dans un consulat français...

Question: *Le visa touristique pour l'Inde a une durée de six mois. Voulant y rester près d'un an, puis-je renouveler ce visa à l'ambassade de France en Inde, ou y a-t-il des démarches spécifiques ou d'autres types de visas? Que se passe-t-il si mon visa expire pendant mon séjour dans le pays?*

Réponse du consulat: *En aucun cas les autorités françaises peuvent-elles s'occuper d'un visa pour un autre pays. Pour cela, vous devez vous adresser au service d'immigration dans le pays concerné. Mais le plus simple est de ressortir du pays et de redemander un visa dans le pays voisin. La technique de faire une courte visite dans un pays voisin puis de revenir pour renouveler son visa est monnaie courante et fonctionne normalement très bien. Il est vrai qu'il peut exister des visas de longue durée, mais ils impliquent souvent des démarches lourdes, des interrogatoires suspicieux et des coûts qui peuvent être importants. Pour en savoir plus sur ce point, il faut se renseigner auprès de l'ambassade indienne ou bien directement sur place. Le mieux étant toujours de faire les démarches avant son départ.*

dans des situations indésirables (d'un vol de papiers d'identité à la contravention pour non-respect des règles, en passant par des embrouilles pour une histoire de cœur ou de raison…). Des études ont même démontré qu'au bout d'un certain temps, soit le temps que les alentours deviennent des repères communs, certains omettent qu'ils sont étrangers et oublient de prendre des précautions tout le long séjour durant. Et plusieurs de ces «long-séjouristes» ont ce même réflexe, celui de se dire: Mon consulat va tout régler ça pour moi parce que j'ai des droits!

Remettons les pendules à l'heure. D'une part, la population locale n'oublie jamais, elle, que vous êtes un étranger, un visiteur de passage. D'autre part, votre citoyenneté et la réputation de votre drapeau national, même si elle est très bonne, ne vous dispensent pas de respecter les lois, normes et règlements du pays d'accueil. Lorsque vous résidez dans un pays étranger, vous devez vous familiariser avec le mode de vie de ses habitants. Révision du code consulaire… et attention, dans certains cas, vous devrez peut-être payer pour les services fournis.

■ Rôle et mission de l'ambassade ou du consulat

L'ambassadeur et le consul sont responsables de leur communauté qu'ils administrent selon la législation et la réglementation du pays d'origine (et non du pays hôte) et dont ils assurent la protection vis à vis des autorités étrangères, mais ce, dans la limite de la législation locale.

■ Ce que l'assistance consulaire peut faire pour vous (peut différer d'un pays à l'autre)

· Elle assure la protection consulaire en cas d'arrestation, d'incarcération, d'accident grave ou de maladie et intervient dans les cas de rapatriements;

· avec votre autorisation, elle peut avertir vos plus proches parents en cas d'accident, d'emprisonnement ou de décès et les tenir au courant de la situation;

- à votre demande, elle peut joindre votre famille ou des amis pour leur demander en votre nom de vous envoyer des fonds d'urgence;
- vous aider dans des situations critiques telles que les catastrophes naturelles et les soulèvements civils ou militaires;
- vous aider à localiser des personnes disparues;
- vous aider en cas d'urgence médicale et vous fournir, s'il en existe, une liste de médecins de la région qui parlent votre langue;
- vous renseigner sur les visas, les lois, les règlements et la culture du pays;
- vous délivrer un nouveau passeport (frais à payer), sinon vous aider à en obtenir un;
- en cas d'arrestation, elle fera son possible pour voir à ce que vous bénéficiiez des droits et des procédures judiciaires conformes aux normes du pays d'accueil;
- vous fournir une liste d'avocats qui parlent votre langue et de l'information sur l'aide juridique du pays.

■ Ce que l'assistance consulaire ne peut pas faire pour vous (peut différer d'un pays à l'autre)

- vous rapatrier aux frais de l'État, sauf dans les cas d'une exceptionnelle gravité et parfois sous réserve d'un remboursement ultérieur;
- régler une amende, votre note d'hôtel, d'hôpital ou toute autre dépense engagée par vous;
- vous avancer de l'argent sans la mise en place préalable d'une garantie;
- vous délivrer un passeport dans la minute;
- intervenir dans le cours de la justice pour obtenir votre libération si vous êtes impliqué dans une affaire judiciaire ou accusé d'un délit commis;
- se substituer aux agences de voyages, à une institution bancaire ou aux compagnies d'assurances;
- assurer officiellement votre protection consulaire si vous possédez aussi la nationalité du pays hôte;
- virer des fonds;
- entreposer des effets personnels ou chercher des objets perdus;
- obtenir pour vous un visa, un permis ou une licence;
- enquêter sur un crime ou un décès;
- donner des conseils juridiques, choisir ou recommander un avocat en particulier;
- accepter pour vous du courrier;
- vous verser votre pension ou faire des arrangements relatifs à vos prestations de sécurité sociale;
- célébrer un mariage;
- intervenir dans des affaires juridiques privées.

■ Les services consulaires d'urgence

Les bureaux du gouvernement de votre pays d'origine qui sont installés à l'étranger offrent une assistance consulaire à ses ressortissants 24 heures sur 24. Avant votre départ, contactez les Affaires étrangères de votre pays et demandez les coordonnées de cette assistance d'urgence.

Absence de représentation consulaire à destination: que faire?

En cas de nécessité dans certaines destinations où votre pays d'origine n'a pas de représentation consulaire (ambassade ou consulat), adressez-vous au bureau du gouvernement d'un pays naturellement «ami» avec le vôtre ou ayant des ententes spécifiques à cet égard. Ce bureau et peut-être même ceux d'autres gouvernements étrangers pourront communiquer en votre nom avec le bureau de votre pays le plus proche. Avant votre départ, donnez-vous aussi la peine de contacter les Affaires étrangères de votre pays afin de vous faire conseiller sur le sujet.

De plus, il est conseillé de vous inscrire au bureau du gouvernement de votre pays le plus proche de l'endroit où vous «long-séjournerez» à l'étranger. Ainsi, le personnel des services consulaires pourra vous joindre en cas d'urgence. L'inscription est facultative, et vos renseignements fournis sont protégés et utilisés conformément aux dispositions de la Loi sur la protection des renseignements personnels. Il vous sera par contre particulièrement suggéré de le faire lorsque:

· votre séjour est d'une durée supérieure à trois mois;

· le pays où vous «long-séjournerez» a des taches à son dossier sur la sécurité;

· le pays est visé par un avertissement officiel aux voyageurs;

· le pays n'a pas de bureau du gouvernement de votre pays d'origine ou est prédisposé aux catastrophes naturelles.

Autres conseils très pratiques

■ Durant vos démarches...

Durant vos démarches pour l'obtention de documents officiels, regardez à la loupe les dates d'échéance; si une erreur se produit, c'est vous, à destination, qui serez bien embêté, pas celui qui est responsable de l'erreur. Et posez des questions, par exemple:

· ai-je besoin d'un visa?

· la période de validité de mon visa couvre-t-elle toute la durée de mon long séjour?

· dans la négative, comment dois-je faire pour me procurer un second visa à destination?

■ Concernant les politiques d'entrée des pays...

De nombreux pays exigent que les visiteurs étrangers aient en leur possession un billet de retour valide (ex.: un billet d'avion ou de bateau), c'est-à-dire un billet de retour réservé à une date précise ou pour une date qui respecte la durée maximale de séjour permise et imposée par les autorités. Un billet de retour qui ne précise aucune date fixe peut être ou ne pas être accepté, c'est-à-dire que la portion retour inutilisée (ou non fermement réservée) d'un billet aller-retour peut ne pas être acceptée. Pour prouver aux autorités que vous êtes en mesure de repartir, il faudra sans doute vous procurer un billet de retour fermement réservé à une date précise.

■ Quand les orientations sexuelles sont sous haute surveillance...

Si le mariage entre conjoints de même sexe est reconnu et accepté dans seulement quelques pays, il demeure risqué de montrer sa preuve d'hymen amoureux du même sexe à certains postes frontières. En guise de cadeau de mariage ou de salutations à l'exemplarité, c'est une expulsion dans le premier avion de retour qui peut être fournie, avec phrasé de circonstance entourant cette obtention. On en apprendra davantage sur le sujet sur le site *www.ilga.org*.

Transport: les modalités pour les longs séjours

P our un long séjour comme pour une tournée continentale ou même un tour du monde, plusieurs modalités et déclinaisons de produits sont aujourd'hui offertes par les transporteurs, qu'ils soient aériens, ferroviaires, loueurs de voitures ou même bateaux cargos et brise-glaces. Voici un survol de l'offre et de ses particularités.

Les transporteurs aériens

Les transporteurs aériens sont de gros taxis qui font l'effort d'adapter leurs billets aux voyages des plus simples aux plus ambitieux. - Cécile Forest-Dufort, grande voyageuse devant l'éternel, âgée de 76 ans

■ Déclinaison des types de billets

Billet régulier d'un transporteur aérien régulier

Particularités:

- Si aucune restriction ne s'applique, il est valable pour un an à compter de la date d'émission ou de la date du premier vol effectué, en autant que ce premier vol soit effectué dans l'année suivant l'émission du billet.
- En cas de force majeure vous obligeant à modifier votre voyage, le transporteur fera tout en son possible pour vous transporter aux conditions prévues initialement à votre prochaine escale ou à votre point de destination.
- Vendu à tarif réduit, ce billet devient partiellement ou totalement non remboursable.

Avantages:

- Si, après avoir commencé votre voyage, vous êtes empêché, pour des raisons de santé, de le poursuivre durant la période de validité du billet, celle-ci sera prorogée jusqu'à la date où vous redevenez apte à voyager ou jusqu'à la date du premier vol disponible par le transporteur après votre rétablissement. Cette prorogation vaut pour un transport dans la classe du tarif payé. Pour ce faire, le passager devra fournir un certificat médical.
- Si vous souhaitez changer votre itinéraire (avant votre départ ou pendant votre voyage), ce type de billet vous permet de le faire. Vous devrez alors contacter à l'avance le transporteur, qui procédera à l'estimation du prix pour votre nouvel itinéraire et qui vous offrira la possibilité de l'accepter ou de maintenir votre itinéraire tel que défini initialement.
- À l'opposé des vols nolisés, les billets de vols réguliers offrent donc une grande liberté d'utilisation et d'organisation de voyage.

On entend par «force majeure»...

Une «force majeure» désigne une circonstance inhabituelle, imprévue et irrésistible, dont les conséquences n'auraient pu être évitées même si toutes les mesures de prudence avaient été prises.

Inconvénients:

- Lorsque son tarif est négocié à la baisse ou réduit grâce à une promotion, la liberté d'utilisation et d'organisation précédemment évoquée tend à diminuer grandement.
- Exposé à la surréservation («surbooking»).

Billet régulier d'un transporteur aérien nolisé

Particularités:

- Disponible pour un nombre limité de destinations et de dates.
- En cas de force majeure qui vous oblige à modifier votre voyage, le transporteur fera tout en son possible pour vous transporter aux conditions prévues initialement à votre prochaine escale ou à votre point de destination.
- Ne s'achète pas directement auprès des compagnies aériennes.
- Les dates pour l'aller-retour doivent être fixées à l'avance.
- Les occasions de «panachage» (atterrir à un point *A*, repartir d'un point *B*) sont souvent limitées.
- Pas systématiquement plus économique que le billet d'un vol régulier, par exemple aux dates de pointe.

Avantages:

- Plus souvent qu'autrement des vols directs.
- Tarifs souvent moins chers que ceux des transporteurs réguliers pour une même destination.
- En basse saison, les tarifs d'appel permettent de bonnes affaires.
- À l'abri de la surréservation.

Inconvénients:

- Vols pas forcément assurés toute l'année pour une même destination.
- Horaires de vol limités et parfois peu commodes.
- Les conditions de modification ou d'annulation sont généralement plus contraignantes que pour les vols réguliers.
- Pénalités importantes – voire impossibilité – en cas de changement de dates pour l'aller-retour.
- Pas de réduction ni de tarification spéciale, par exemple pour les aînés.
- Validités spécifiques souvent limitées (ex.: 28 jours).
- Prix parfois révisables avant le départ.
- Par rapport au vol régulier, le poids des bagages admis est souvent plus limité.
- Cas extrême à prévoir: si l'avion n'est pas assez rempli, le vol peut être annulé.

Politiques d'entrée des pays

De nombreux pays exigent que les visiteurs étrangers aient en leur possession un billet de retour valide, c'est-à-dire un billet réservé à une date précise ou pour une date qui respecte la durée maximale de séjour imposée par les autorités. Un billet de retour plein tarif (ou d'un transporteur régulier) qui ne précise aucune date fixe peut être accepté, mais la portion inutilisée (ou non fermement réservée) d'un billet aller-retour sur un vol nolisé peut ne pas l'être. Pour prouver aux autorités que vous êtes en mesure de repartir, il vous faudra alors peut-être vous procurer un billet de retour.

Billet «dernière minute»

Particularité:

- Billet invendu pour un siège à quelques jours seulement du départ.

Avantage:

- Son prix réduit.

Inconvénients:

- Si l'on choisit cette avenue pour trouver un billet d'avion, il faut être prêt à partir à tout moment.
- Si l'on voyage en couple ou en groupe, les possibilités sont toujours plus minces de dénicher des billets «dernière minute» sur le même vol et pour tous.

Billet «stop-over»

Particularités:

- Permet de faire des arrêts en cours d'itinéraire de vol aux escales prévues. Ces arrêts sont d'une durée minimale de 24 heures et d'une durée maximale variable.
- Gratuit ou proposé avec un supplément.
- Proposé sur des itinéraires long-courriers des transporteurs réguliers.

Avantages:

- Occasions très alléchantes pour les destinations longs séjours d'Asie, d'Australie et du Pacifique Sud.
- Pour un «long-séjouriste» qui souhaite visiter plusieurs villes situées sur un même réseau aérien, ce type de billet lui revient moins cher que s'il prenait un vol et ajoutait ensuite des escales supplémentaires.
- De par sa formule, il peut constituer un bon point de départ pour un tour du monde.

Inconvénient:

- Ne permet parfois pas toujours systématiquement des arrêts à toutes les escales prévues à l'itinéraire d'un transporteur.

Billet de «panachage»

Particularités:

- Permet le vol de l'aller vers une ville X et le vol de retour depuis une ville Y.
- Offert par des transporteurs aussi bien réguliers que nolisés.

Avantages:

- Peut parfois couvrir plus d'un pays (on atterrit dans le pays X et on décolle dans le pays Y).
- Permet de parcourir un plus grand territoire, car le détenteur du billet n'est pas obligé de rebrousser chemin pour son vol de retour.

- Permet de profiter pleinement de toutes ses journées de vacances en ne parcourant pas deux fois le même secteur.
- Disponible sans frais ou à peu de frais.
- Bon point de départ pour la planification d'un tour du monde.

Inconvénient:

- Aucun, on n'en voit pas!

Billet pass aérien

Particularités:

- Un forfait à tarif réduit qui permet de se déplacer plusieurs fois à l'intérieur d'un ou de plusieurs pays sur le réseau d'un ou de plusieurs transporteurs aériens.
- Pour la plupart, l'itinéraire et les réservations doivent être fixés à l'avance.
- Implique que le départ ou l'achat du vol initial soit effectué avec le transporteur aérien ou l'agence proposant le forfait.
- Le nombre de billets, appelés «coupons», contenu dans le *pass* peut être soit limité avec possibilité d'achat de coupons supplémentaires, soit au contraire illimité.

Avantages:

- Formule assez répandue qui entraîne une offre assez intéressante.
- Un moyen avantageux de voyager soit sur de longues distances, soit sur un même continent.
- Formule bien établie permettant de planifier un tour du monde (notamment grâce aux ententes entre transporteurs aériens).
- Offert avec des validités diverses pouvant aller jusqu'à un an.

Inconvénients:

- Pour la plupart, l'itinéraire et les réservations ne peuvent être modifiés une fois les réservations effectuées.
- Généralement, les coupons non utilisés d'un *pass* aérien ne sont pas remboursables.

Billet «tour du monde»

Particularités:

- Permet de visiter plusieurs pays ou un grand territoire au cours d'un même voyage.
- Son prix varie selon la durée de sa validité, les dates souhaitées, les transporteurs aériens empruntés, le nombre d'escales et leur localisation.

Je n'ai rien à déclarer excepté mon génie. - Oscar Wilde, à la douane des États-Unis en 1882

Avantages:

- Offert en une panoplie de possibilités: du moins cher au plus cher et de l'année sabbatique au tour du monde en 30 jours!
- Permet une économie d'argent.
- Peut parfois inclure des parcours terrestres entre étapes, diminuant ainsi davantage le prix.

Inconvénient:

- Formule parfois complexe qui nécessite d'être bien vigilant lors de la planification de l'itinéraire.

■ Les bagages: les excédents et les spéciaux

Les excédents de bagages

On l'a déjà mentionné, le nombre de bagages admis à bord d'un avion n'est malheureusement pas proportionnel au nombre de semaines passées à l'étranger. Donc, si le poids total de vos bagages dépasse celui de la franchise permise, vous devrez payer un supplément pour leur transport. Ce supplément varie d'un transporteur à l'autre, varie aussi selon le séjour en haute ou en basse saison, et varie même, oui oui, selon l'humeur de l'agent au comptoir d'enregistrement... Cas extrême à prévoir: un transporteur se réserve le droit de refuser vos bagages en trop.

Les bagages spéciaux

Les «long-séjouristes», surtout ceux qui envisagent de faire du surplace, voudront peut-être apporter avec eux différents objets utilitaires comme un vélo ou même leur équipement de golf. Cela n'est évidemment pas impossible. Ce type de bagages entre dans la catégorie des «bagages spéciaux» et l'on doit normalement signaler au transporteur son souhait de les apporter avec soi, et ce, au moment de la réservation de son siège (ou sinon préférablement au minimum deux semaines avant le vol), à défaut de quoi leur accès à bord pourrait être refusé. Également, il se peut, dans certains cas, qu'on vous demande d'apporter ces bagages spéciaux 24 heures avant votre enregistrement pour le vol.

Voici un aperçu des procédures à respecter selon le type de bagages (peut varier d'un transporteur à l'autre).

Types de bagages spéciaux	À mentionner à la réservation	Document spécifique à présenter	Frais supplémentaires	Paiement
Chien et chat	oui	oui	oui	à payer d'avance ou à l'enregistrement
Bicyclette	oui	non	oui	généralement à l'enregistrement
Équipement de golf	oui	non	oui	généralement à l'enregistrement
Fauteuil roulant	oui	non	non	s/o

Transport de vélo: mode d'emploi

Faire transporter un vélo à bord d'un avion nécessite au préalable des précautions (qui peuvent varier quelque peu d'un transporteur à l'autre):

· la roue avant doit être démontée et fixée au cadre;

· les pédales doivent être repliées;

· les pneus doivent être dégonflés;

· le guidon doit être positionné dans le sens de la longueur du cadre;

· les vélos doivent reposer dans un emballage de protection.

Attention: le transport de cartouches de CO_2 utilisées pour gonfler les pneus de vélo est interdit.

Autres bagages spéciaux: les chiens, les chats et les oiseaux

De plus en plus de voyageurs considèrent le long séjour, spécialement celui de type «sur-place» en appartement ou dans une villa, comme la formule vacances la plus appropriée pour emmener leur animal de compagnie. Ils n'ont pas tort.

À savoir pour le transport

Le transport en avion des animaux de compagnie – chiens, chats, oiseaux – est possible, mais à plusieurs conditions:

· ils doivent être convenablement installés dans une caisse à claire-voie et accompagnés de documents en règle, étant donné que certificats sanitaires et de vaccination et permis d'entrée ou de transit, étant donné que ceux-ci peuvent être exigés par le pays de transit ou de destination;

· s'il est accepté comme «bagage», l'animal transporté dans sa caisse avec sa nourriture n'est pas compris dans votre franchise de bagages; il constituera un excédent de bagages, pour lequel vous devrez payer le supplément applicable;

· les chiens-guides qui accompagnent les passagers aveugles ou malvoyants sont transportés gratuitement, en sus de la franchise de bagages normale;

· plus souvent qu'autrement, le transporteur ne voudra assumer aucune responsabilité pour les blessures, pertes, maladie ou mort d'un animal qu'il a transporté, sauf s'il est démontré que le transporteur a agi par négligence grave.

Dans le coin droit et pesant moins de 5 kilos...

Les chiens et les chats de moins de 5 kg peuvent parfois être transportés en cabine en autant:

· qu'ils soient âgés d'au moins huit semaines;

· qu'ils soient transportés dans un sac ou un panier approprié;

· que l'animal ne dérange en aucun cas les autres passagers;

· que la femelle n'attende pas de petits.

Un bémol: les chiens et les chats sont rarement admis en cabine sur les vols long-courriers. Aussi, le transport d'oiseaux n'est pas admis en cabine.

L'Europe se rapproche de l'Amérique d'un centimètre par siècle. Pourtant, le prix de la traversée reste le même. - François Cavanna

Dans le coin gauche et pesant plus de 5 kilos…

À moins de suivre un régime amaigrissant avant le départ, les chiens et les chats de plus de 5 kg doivent être transportés en cage dans la soute à bagages de l'appareil. La cage – en plastique ou en métal – doit être suffisamment spacieuse.

Leur transport entraîne toujours un paiement même si le poids total des bagages est inférieur à celui de la franchise admise en soute (poids total: chien et cage).

Dernier point: le transport d'un chien pour aveugle ou malvoyant est toujours autorisé en cabine quel que soit son poids (équipement inclus). Le chien doit être tenu en laisse et porter une muselière.

Ces conditions peuvent varier d'un transporteur aérien à l'autre.

Prévoyez les pertes

Parce que vous voulez vraiment récupérer vos bagages perdus, retenez avec précision la forme, l'aspect extérieur, la couleur, les dimensions, le poids, la matière et le contenu de chacun de vos bagages. C'est par une description précise que vous aurez davantage de chance qu'on retrouve vos bagages fugueurs: le processus de rapprochement employé par le système de repérage des bagages World Travel dans le transport aérien réunit et compare l'information d'un dossier bagage manquant dans une escale avec un dossier bagage en excédant dans une autre escale.

■ Les engins de recherche nouveau genre sur Internet

Parce qu'ils jouissent majoritairement du temps libre que la vie leur offre, les «long-séjouristes» gagnent aussi à voyager sur Internet. En matière de recherche de billets d'avion, l'exercice peut s'avérer une véritable partie de plaisir lorsqu'on utilise les derniers gadgets de l'heure.

Visualisation en cabine

Le site **SeatGuru** *(www.seatguru.com)* procure toute l'information nécessaire pour sélectionner un siège à bord d'un avion. L'utilisateur obtient un plan détaillé de l'appareil à bord duquel il désire voyager. Ce plan identifie notamment quels sont les meilleurs

 Maman, qu'arrive-t-il si notre chien, qui est avec nous sur notre siège, dérange pendant le vol? Par quel hublot ils vont le faire sortir pour le mettre dans le ventre de l'avion? - Taïna, 6 ans

sièges, où sont les prises électriques et les toilettes. D'autres renseignements spécifiques y sont également divulgués concernant, entre autres, les enfants, les animaux et les bagages.

Politique du meilleur prix dans le transport aérien

Le métamoteur de recherche **Farecast** *(www.farecast.com)* lançait récemment son programme *Fare Guard*, un outil prévisionnel qui permet à l'internaute de prendre une décision éclairée concernant le moment d'acheter et le prix à débourser pour un billet d'avion.

Allergies ou restrictions alimentaires?

Demandez un menu spécial au moment de réserver votre siège dans l'avion. Au menu, sans lactose ou sans gluten, végétarien ou spécial diabétique, casher ou halal, faible teneur en sel ou faible teneur en calories. Bon appétit!

Non seulement Farecast permet-il au consommateur de savoir si le tarif d'un tronçon aérien qui l'intéresse est susceptible d'augmenter ou de diminuer dans les prochains jours, mais il obtient en plus une garantie associée à ce modèle prévisionnel. Le concept: Farecast propose aux consommateurs d'acheter la «tranquillité d'esprit» pour la somme de 9,95$US. Cette protection s'applique aux résultats obtenus par la recherche et non à un vol en particulier. Par exemple, Farecast peut garantir un tarif fixe pour un vol entre Boston et San Francisco à des dates précises, sans égard au transporteur utilisé.

Ce service permet aux internautes de se protéger de la volatilité des tarifs aériens en sécurisant, pour une période de sept jours, le prix obtenu par le métamoteur. Chaque jour, Farecast envoie un courriel afin d'informer de l'augmentation, de la diminution ou de la stabilité du tarif.

Dans l'éventualité d'une hausse de tarif à l'échéance de la semaine de garantie, le voyageur peut alors acheter son billet, et Farecast lui remboursera 25$US ou la différence entre les deux sommes. De plus, si le consommateur n'est pas prisonnier du plus bas tarif offert, c'est sur la base de ce dernier que le remboursement de Farecast sera calculé. Par exemple, l'internaute pourrait choisir un vol plus cher parce qu'il n'aime pas le transporteur qui offre le billet le moins cher, sans être pénalisé. L'internaute qui n'effectue finalement aucune transaction doit quand même débourser la prime associée au service *Fare Guard*.

Quelques adresses Internet en prime:

- **Skytrax** *(www.airlinequality.com)*: palmarès des meilleures installations aéroportuaires du monde
- Transporteurs à rabais: *www.etn.nl/lcosteur.htm*

Qui évite la douane paie le double… - proverbe juif

Commencer par Internet

Question: «Nous approchons la soixantaine et nous prévoyons réaliser un rêve: partir un an autour du monde, en restant quelques semaines à différents endroits pour mieux vivre les pays que nous visiterons. Le départ est prévu en août. Nous avons déjà beaucoup voyagé, mais pour des périodes plus courtes variant de 15 jours à deux mois.

Nous sommes présentement à la recherche de renseignements qui pourraient nous aider dans notre planification. Connaissez-vous des livres pratiques, des récits de voyage ou autres qui pourraient meubler notre attente et nous orienter sur de bonnes pistes? D'autre part, est-il exact qu'il existe des billets d'avion «deux continents» ou «trois continents» émis pour un an et qui permettent, pour une somme X, de voyager comme on veut entre ces différents continents pendant une année?»

Le *Guide Ulysse des longs séjours* vous répond: «Essayez d'aller du côté de la Grande-Bretagne, qui s'est donné, par quelques agences, l'expertise en qualité de tours du monde. Naviguez sur le site *www.roundtheworldflights.com*, où vous pourrez vous amuser à parcourir les continents désirés avec des arrêts en surface (trains, autocars, voitures ou bateaux). Autant de continents dans l'espace d'une année.

Autre site où vous pouvez flirter avec les continents: *www.aroundtheworlds. com*. Pour connaître des expériences de voyages autour du monde, visitez le site *www.voyageforum.com* et choisissez votre tour en fonction des saisons rencontrées. Un dernier petit truc: pendant les périodes les plus chères en matière aérienne, optez alors pour des parcours terrestres.»

Les transporteurs ferroviaires

On ne passe évidemment pas un long séjour à bord d'un train. Quelques renseignements et références méritent toutefois une mention. On ne sait jamais, une escapade en train pourra mettre du piquant dans votre long séjour!

Trois territoires sont particulièrement intéressants dans ce domaine, à commencer par l'Europe, où le train demeure une véritable institution et où le TGV est la star des temps modernes. Ainsi, il est non seulement possible mais aussi fort intéressant d'envisager une escapade de quelques jours dans le pays où on «long-séjourne» ou encore dans une ou plusieurs capitales européennes, et ce, depuis votre pied-à-terre de long séjour.

Plusieurs combinaisons sont offertes: du forfait «train et voiture» au billet «ville à ville» en passant par des laissez-passer combinant plusieurs pays limitrophes et des *pass* de train pour faire un seul pays, mais sur tout son réseau, à des dates limitées.

À noter que les Nord-Américains ont avantage à traiter avec le groupe Rail Europe *(www.raileurope.com)*, qui a des bureaux de vente en Amérique du Nord. Rail Europe propose une large gamme de billets et de *pass* de train en Europe à des prix plus intéressants que s'ils étaient achetés sur place. Seule condition: l'achat doit être effectué par un Nord-Américain depuis son pays d'origine, et ce, avant son départ pour le continent européen.

Autres contacts:

- *www.eurail.com*
- *www.sncf.com*
- *www.britrail.com*
- *www.eurostar.com*
- *www.thalys.com*
- *www.ferroviedellostato.it*

Il existe un *pass* de train valable trois mois qui couvre tous les pays mentionnés, hormis la Slovénie, et qui se nomme Eurail Global Pass Saver *(www.eurail.com)*. Ce laissez-passer est pour deux personnes voyageant ensemble.

Réserver en ligne peut coûter moins cher

Si vous consultez un agent de voyages pour effectuer certaines réservations, demandez-lui si le fournisseur octroie des réductions de tarifs si la réservation est faite en ligne. Naturellement, dans le but d'inciter ce type de réservations, qui impliquent moins de frais pour l'entreprise, de plus en plus de fournisseurs, par exemple Rail Europe, autorisent ce genre de réductions qui peuvent accorder une économie jusqu'à 10% par rapport aux tarifs offerts en centres d'appels.

Enfin, pour les guides de voyage à vélo et autres détails importants sur les pays visités, il existe des fascicules à consulter. L'idéal, et pour éviter d'avoir trop de documentation à emporter au moment de votre départ, est de faire l'acquisition de cartes dans chaque pays visité, lesquelles sont en vente dans les offices de tourisme aussi bien en ville qu'en région.»

Autre territoire intéressant dans ce domaine, l'Asie, où le train est un mode de transport très utilisé. Les lignes établies permettent de voyager sur de grandes distances et favorisent aussi l'immersion à son meilleur dans la population locale.

Quelques références:

- *www.chinatravelcdn.com*
- *www.china-train-ticket.com*
- *http://traintraveling.com/asia*
- *www.asia-discovery.com/Thailand/trains*

Enfin, autre territoire et autre possibilité intéressante pour les voyages en train, les grandes routes mythiques de l'Orient, où le train est un voyage en soi. Voici quelques pistes:

- en Inde, la route des maharajahs en train, au Rajasthan, avec le ***Palace on Wheels*** *(www.palaceonwheels.net)*;
- toujours en Inde, il existe des trains aménagés pour les touristes avec restaurants et dortoirs. Au menu: des circuits à travers le pays, de 15 jours à un mois, organisés par **Butterfield Indian Railway Tours** *(www.indiasite.com)*;

- on retrouve également le luxe du ***Royal Orient Express*** *(www.tsiindia.com)* au Gujarat et au Rajasthan;

- en Thaïlande, le laissez-passer **Visit Thai and Rail Pass** *(www.railway.co.th)* illimité est offert pour une période de 20 jours;

- toujours en Thaïlande, pour faire dans le voyage ferroviaire mythique, il y a l'***Eastern & Oriental Express*** *(www.orient-express.com)*. Durée du trajet entre Singapour et Bangkok: 42 heures;

- également en Thaïlande, la **Thai Youth Hotel Association** *(www.tyha.org)* donne de bons filons;

- aux États-Unis, le site *www.vacationsbyrail.com* propose de nombreux *pass* suivant les États et sur des lignes privées à travers le pays. Autre référence: **Amtrak** *(www.amtrak.com)*;

- en Australie, le site *www.railaustralia.com.au* informe sur les différents *pass* de train. Par exemple, l'**Austrail Flexi Pass**, valable pour des trajets de 15 ou 22 jours sur une période de six mois. Voir aussi du côté de Ghan *(www.railaustralia.com.au/theGhan.php)*, la plus grande ligne australienne de chemin de fer (comptez 3 000 km d'Adélaïde à Darwin);

- en Nouvelle-Zélande, le **Scenic Rail Pass** *(www.railnewzealand.com)* permet sept jours de balades sur tout le réseau ferroviaire avec accès aux traversiers.

Lu sur Internet...

Question: *Ma conjointe et moi désirons faire quatre mois de vélo en Europe à partir d'août. Norvège, Suède, Danemark, Pologne, République tchèque, Slovaquie, Hongrie, Slovénie et Italie sont les pays que nous souhaitons parcourir au cours de ce voyage (des parties à vélo et des parties en train). Quelle devrait être notre stratégie (la moins coûteuse) pour l'aller et le retour d'Europe? Se rendre en Norvège et revenir de l'Italie ou un aller-retour Paris ou Bruxelles vers Montréal, avec recours au train ou transport aérien pour joindre la Norvège et revenir d'Italie vers Paris? Sur place, étant donné le nombre de pays visités et la durée du séjour, quel type de pass de train serait le plus avantageux en tenant compte que nous aurons des vélos à transporter? Finalement, quels seraient les meilleurs outils (guides, cartes, etc.) pour ce type de voyage?*

Le *Guide Ulysse des longs séjours* vous répond: Par rapport aux trajets que vous voulez effectuer, le mieux est de rejoindre Paris, Bruxelles ou Francfort au coût le plus abordable. Ensuite, ce sont les *pass* de train à étudier sur le site d'Eurail Pass et aussi les tarifs des compagnies aériennes à rabais qui fourmillent en Europe qui seront à surveiller. Dans ce dernier cas, prenez bien note des suppléments à payer pour le transport des vélos qui peuvent dépasser le prix d'un billet normal. Mais certains valent tout de même le coup.

La location de voitures

Si les loueurs de voitures proposent généralement des tarifs avantageux à la semaine et au mois, la location d'une voiture a tout de même un prix. Votre budget sera donc votre premier conseiller dans ce domaine.

Aussi, avant de prendre une décision, quelques questions méritent d'être posées:

- Ai-je besoin d'un véhicule tous les jours durant mon long séjour?
- Est-ce que les tarifs comprennent le kilométrage illimité, les assurances et les taxes?
- Est-ce que je peux – et est-ce que je veux – ne louer un véhicule que pour mes grandes sorties?
- Vais-je «long-séjourner» dans un centre urbain (avec transport en commun à disposition et stationnement dispendieux) ou vais-je habiter en région ou en milieu rural?
- Je «long-séjourne» dans un pays tropical, alors comment ma santé peut-elle négocier avec des températures élevées? Pourrais-je aller faire mes courses à bord d'autobus locaux sans climatisation et à 35°C? Ou devrais-je absolument me déplacer en voiture climatisée?

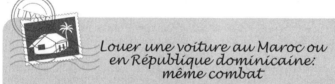

Louer une voiture au Maroc ou en République dominicaine: même combat

S'il vous vient à l'idée de louer une voiture en République dominicaine ou au Maroc, pensez d'abord à la louer auprès d'une compagnie reconnue internationalement. Si vous passez par une agence locale, avec peut-être de très bons prix, vérifiez si les assurances du véhicule sont des... assurances et inspectez la voiture en compagnie du préposé (extérieur et intérieur) sans oublier l'état (et la présence!) de la roue de secours. Car au retour, le loueur peut vous tenir responsable de rayures, d'une poignée manquante ou d'une roue de secours défectueuse...

Et ce sont des prix prohibitifs qui sont demandés comme dédommagements à l'amiable.

Le Maroc et la République dominicaine sont évoqués, mais le Mexique, le Panamá, le Costa Rica, l'île de Margarita, la République tchèque et l'Argentine sont aussi à surveiller. Prenez bien note également de leur numéro d'urgence pour assistance en cas d'accident ou d'incident sur la route. Faites-en même l'essai avant de quitter l'agence pour savoir si c'est le bon numéro!

■ C'est quoi la formule «achat-rachat»?

Aussi appelée «TT» ou «Transit Temporaire», la formule «achat-rachat» est offerte aux «long-séjouristes» résidant hors de la Communauté européenne qui souhaitent avoir un véhicule en Europe pour une période de 17 jours à plus ou moins 180 jours consécutifs (selon les villes). Techniquement, vous êtes propriétaire de votre véhicule. Les avantages: un véhicule neuf, kilométrage illimité, formule sans taxes, «panachage» possible pour la restitution du véhicule, une assurance multirisque sans franchise du véhicule, une assistance 24 heures sur 24, 7 jours sur 7 dans 28 pays d'Europe.

Au Québec, les fournisseurs de la formule «achat-rachat» sont:

- - **Eurocar TT**: ☎*514-274-4449 ou 888-285-8384, www.eurocartt.com*
- - **Europ Auto Vacances**: ☎*514-735-3083 ou 800-361-1261, www.europauto.ca*
- - **Renault Eurodrive**: ☎*450-461-1149 ou 800-361-2411, www.renault-eurodrive.com*

Personnes à mobilité réduite: voyagez avec tous vos permis

Les personnes à mobilité réduite qui détiennent un permis de stationnement valide au Canada peuvent l'utiliser dans les 48 pays membres ou membres associés de la Conférence européenne des ministres des transports (CEMT). Vérifiez sur place auprès des autorités locales à quoi votre permis vous donne droit. Pour de plus amples renseignements: *www.accesstotravel.gc.ca/main-f.asp*.

■ Permis de conduire international

Le permis de conduire international a été inventé pour faciliter la communication entre les peuples: il constitue une preuve, pour le pays hôte, que le détenteur du permis de conduire international est aussi détenteur d'un permis de conduire en règle de son pays d'origine. Donc, que le conducteur est apte à conduire.

Le permis de conduire international permet aussi de faciliter la compréhension entre les peuples. S'il n'est pas indispensable partout, il peut s'avérer un bon compagnon de voyage surtout dans un pays très éloigné et peu fréquenté par ses compatriotes.

Le permis de conduire international est émis sur demande dans les bureaux de CAA Québec (au Québec) et dans les préfectures (en Europe). Pour son émission, on demande la présentation du permis de conduire, de deux photos et une somme en argent. Sa durée de validité peut varier d'un pays à l'autre. Elle est généralement de plus d'un an.

Se faire livrer sa propre voiture

De rares sociétés proposent le service de livraison de votre véhicule là où vous irez par avion ou en train. On vient chercher votre véhicule à domicile et on vous l'apporte jusqu'à votre lieu de séjour. Une référence parmi d'autres: la société **Moncassin**, située à Paris (☎*01 64 79 04 46*), couvre toute l'Europe.

■ Rappel des consignes

N'oubliez pas que chaque pays a son propre code de la route. Dans certains pays, un conducteur peut être interrogé et détenu par la police, même après un accrochage mineur. Également, informez-vous des règles, lois et procédures en vigueur pour les étrangers qui voyagent avec leur véhicule dans un autre pays que le leur. Qu'arrivera-t-il si vous êtes victime du vol de votre véhicule à destination? Que diront la police et les douaniers? Comment vous protéger de la corruption?

■ Quand le crédit paie les assurances

Certaines cartes de crédit dont vous êtes le détenteur proposent d'assumer le montant des assurances pour une location de voitures en autant, bien entendu, de payer la location avec ces cartes. Attention toutefois: vérifiez bien que le plan offert vous convient et demandez une preuve écrite de cet engagement.

Consultez les ressources pour «expats»

Quelques loueurs de voitures proposent des tarifs et programmes de location pour les expatriés. Certaines organisations ont même des ententes exclusives avec des fournisseurs (ex.: Expats Welcome et Europcar). Si ces fournisseurs se réservent le droit de n'offrir ce type de produit qu'aux «vrais expatriés» (ceux qui déménagent dans un autre pays pour leur travail ou leur retraite), il n'est pas pour autant déconseillé de les contacter. Pour quelques références en la matière, consultez la section «Les expatriés: une bonne ressource» du chapitre «Comment préparer son long séjour».

Les voyages en cargo

Voyage autour du monde en cargo, traversée en navire transbordeur, croisière sur un navire porte-conteneurs ou un vraquier ou périple à bord d'un brise-glace: ces possibilités peuvent être des pistes intéressantes pour ceux pour qui l'exotisme ne rime pas nécessairement avec cocotiers.

Le voyage en cargo est aussi une solution pour ceux qui veulent traverser l'Atlantique ou un détroit gelé, naviguer en Méditerranée, atteindre le Sud-Est asiatique ou faire le tour de l'Amérique du Sud sur des rythmes lents.

On parle ici d'«anticroisière», car il n'y a ni jeux sur le pont ou spectacles le soir. Certes, on peut manger avec le capitaine, mais les repas sont à heure fixe et non pas toute la journée. Pour ce style de partance, on glisse carnet de notes et bons livres dans les bagages. Les escales sont à durée variable en fonction des chargements à laisser ou à prendre, ce qui donne le temps de visiter un port, comme celui d'Istanbul ou de Buenos Aires.

Pour traverser l'Atlantique, la compagnie de cargo **Hapag-Lloyd** *(www.hapaglloyd.com)* effectue des voyages hebdomadaires entre Montréal et Le Havre avec des possibilités sur Londres et Anvers, ou sur Anvers et Hambourg et également sur Liverpool.

Pour un aperçu de l'offre et des itinéraires à la surface du globe, le site *www.marine-marchande.com/cargos.htm* est actualisé régulièrement et donne une bonne information (forums inclus) de ce que ce type de voyage comporte. Prix à la clé.

Un conseil: réservez le plus tôt possible car le nombre de cabines destinées aux passagers est très limité et la demande de plus en plus forte.

Quelques références:

- **Mer et Voyages** *(www.mer-et-voyages.com)*: les prochains itinéraires au programme, leur coût et la vie à bord.
- Le *Guide des voyages en cargo*, par Hugo Verlomme, Éditions JC Lattès.

Les marins ne pensent à Dieu qu'au moment du naufrage.
- proverbe arabe

« Je pars en voyage et dans mes bagages, j'apporte... »

Les «long-séjouristes» étant par définition des voyageurs initiés, ce chapitre ne s'attardera donc pas sur l'emplacement des chaussures dans les bagages ou encore sur la liste des effets personnels «en soute» ou «en cabine». Vous le savez déjà. Ce chapitre contient davantage tantôt des pense-bête et des mémentos pour garnir convenablement vos compagnons de voyage portables pour un long séjour, tantôt des pistes à partir desquelles il est souhaitable d'établir et de doser le contenu de ses bagages, en tenant compte qu'un approvisionnement sera sans doute inévitable à destination pour certains objets, durée du séjour oblige.

Le contenant avant le contenu

Sac à dos ou sac de voyage, une ou huit valises, avec ou sans roulettes, en toile ou en nylon… Plusieurs questions se posent quant au choix du contenant en matière de bagages, et le «long-séjouriste» trouvera que les réponses sont liées à la nature de son voyage (ex.: sac à dos pour le tour du monde, grande valise pour le pied-à-terre pendant six mois), à son endurance physique (ex.: valise à roulettes pour les dos sensibles), aux modalités de transport par rapport au contenu (ex.: valise en soute robuste pour les objets fragiles) ou encore aux particularités de la destination choisie et du climat de celle-ci (ex.: bagage imperméable pour les climats pluvieux et humides).

Sans faire état ici des particularités de chaque modèle de valise, soulignons par contre qu'il peut être très pratique d'apporter, en plus de sa ou ses valises, un sac de voyage de grandeur moyenne (ou un sac à dos de bonne taille, pour les dos robustes), dans l'éventualité où des escapades de deux ou trois jours hors de son pied-à-

   On est riche des biens dont on sait se passer. - L. Vigee

Bagages en voie de disparition…

Sur tout le réseau mondial du transport aérien, en moyenne un bagage sur 160 ne retrouve jamais son propriétaire. Soit qu'il est volé, soit qu'il est perdu. Et ce pourcentage tend à augmenter et prend aussi des galons durant les périodes de pointe (grandes vacances estivales et période des Fêtes). Voici deux trucs pour diminuer le risque de vous retrouver dans les statistiques:

- parce que les étiquettes d'identification apposées à l'extérieur du bagage se retrouvent souvent arrachées, identifiez également votre bagage à l'intérieur, idéalement visible depuis l'extérieur;

- avant que votre bagage ne prenne la direction de la soute, lisez le code à barres que le préposé à l'enregistrement appose dessus: deux des raisons qui expliquent pourquoi autant de bagages se perdent sont la mauvaise destination d'arrivée inscrite sur l'étiquette et l'illisibilité de cette étiquette à cause d'un mauvais entretien de l'imprimante. Et comme le préposé ne regarde pas toujours, assurez vous-même cette responsabilité.

Aussi, deux conseils pour moins souffrir si vous vous retrouvez dans les statistiques:

- répartissez vos effets personnels dans plus d'un bagage (si une valise prend la poudre d'escampette, vous n'aurez pas tout perdu);

- prenez une assurance voyage incluant une clause bagages qui vous satisfait.

terre soient au programme de son long séjour. Aussi, pour les «long-séjouristes» dont le séjour s'apparentera davantage au nomadisme qu'à la sédentarité, voyager léger, c'est gagner en liberté.

Enfin, à la différence du «court-séjouriste», on peut dire que le «long-séjouriste» a quelques prétextes en plus: «Je pars assez longtemps pour me permettre une valise en plus...» ou encore: «Je séjourne assez longtemps pour m'accorder cela dans mes bagages...». En effet, certains jugeront justifié le fait de s'accorder quelques kilos de bagages en plus, surtout s'ils envisagent de loger au même endroit durant tout leur long séjour. Une règle absolue pour tous par contre: le nombre de valises admises à bord d'un avion n'est pas proportionnel au nombre de semaines passées à l'étranger. Et attention: même si les transporteurs exigent des frais supplémentaires pour les kilos de bagages qui excèdent le nombre accordé, non seulement ont-ils le droit de refuser vos kilos de bagages en trop, et ce, sans vous donner une raison particulière, mais il peut aussi arriver qu'ils n'aient pas le choix; plusieurs transporteurs aériens – sinon la majorité, voire tous à un moment ou à un autre – font aussi du cargo, c'est-à-dire qu'ils transportent aussi d'autres marchandises que les valises de leurs passagers. Et quand le poids maximal de l'avion est atteint, les surplus sont tout simplement refusés. Pour plus d'information sur les excédents de bagages, voir p 68.

Les effets personnels «non renouvelables»

Que l'on parte pour une semaine ou plusieurs, certains effets personnels se retrouvent inévitablement dans les bagages (ex.: une brosse à dents). Certains de ces effets se trouvent également dans la catégorie «non renouvelable», ou si vous voulez «non périssable», c'est-à-dire qu'ils ne doivent pas nécessairement être remplacés au cours du voyage (ex.: maillot de bain, chaussures).

■ Les vêtements

Comme pour les valises, il est inutile que le nombre de chaussettes soit proportionnel au nombre de jours du voyage. Faire son lavage n'est pas une punition. Aussi, choisir ses vêtements de façon futée n'a rien de bien scientifique, mais demeure pas mal pratique: tous les pantalons ou toutes les jupes doivent se marier avec tous les chemisiers ou tous les chandails; la même chose pour les chaussures et autres accessoires vestimentaires.

Bien qu'ils ne soient pas l'idéal pour les climats subtropicaux (dans ce cas-ci, le coton a davantage la cote), les vêtements de toile ont très bon caractère avec les taches et le lavage à la main de dépannage. Dans le registre des taches, en cas de pépin, un petit truc: glissez dans votre bagage une broche à épingler ou votre foulard préféré; les deux sauront camoufler sur le champ les petites indésirables...

Se vêtir à la source

Dans bien des endroits en Asie, les vêtements sont plus qu'abordables pour notre budget. Au lieu de gaver votre valise avant le départ, profitez-en pour y faire quelques achats sur place. De toute façon, une partie de votre garde-robe d'ici provient peut-être sans doute de là-bas...

Déformation professionnelle chez les «numériques»

Si vous possédez un caméscope ou un appareil photo numérique, n'oubliez pas d'apporter des cartes ou des cassettes additionnelles. Les initiés le savent: le numérique rend «click!» tout ce qui bouge…

■ Les objets utiles

Ce qui est utile pour les uns ne l'est pas forcément pour les autres. Par contre, deux facteurs influenceront la liste des objets utiles à mettre dans vos bagages: le choix de la destination et vos impératifs.

Le choix de la destination déterminera en effet plein de choses. Par exemple, si vous avez des doutes sur la qualité de l'eau dans le pays où vous «long-séjournerez», ou si vous doutez pouvoir être en mesure, tout au long du séjour, de vous approvisionner en eau potable, des filtres pour l'eau entrent dans cette catégorie. D'autres exemples:

- des bijoux en or 248 k ornés de diamants gros comme des météorites: franchement pas utiles au Panamá, plus appropriés en Californie et en Arizona;
- un manteau imperméable dans un pays comme le Costa Rica, où les volcans sont en tête de liste des points d'intérêt (qui dit volcan dit altitude, froid, nuages et donc frissons garantis pour les manches courtes…);
- une jupe longue ou un pantalon pour les visites des lieux sacrés, particulièrement dans les pays de tradition musulmane (où ils sont en fait non seulement utiles, mais impératifs pour tous).

Parmi les objets utiles à inclure dans ses bagages, on peut également penser à certains équipements pour lesquels on dépenserait de toute façon une partie de son budget pour en faire la location sur place. Des exemples:

- votre vélo;
- votre équipement de golf;
- votre télescope;
- votre équipement pour la pêche;
- votre équipement de ski (pensez aussi vêtements de protection);
- votre équipement de plongée (attention aux bouteilles!).

Même si ces objets nécessitent dans bien des cas un supplément à débourser pour le transport à bord d'un avion, il peut néanmoins être profitable de les apporter avec soi pour deux raisons: le coût de location à destination peut, en bout de ligne, s'avérer plus cher que le coût de son transport; pour certaines personnes, vivre quatre mois sans leur télescope est aussi pénible que suivre un régime amaigrissant…

Au chapitre de vos impératifs, ceux-ci viendront se «bétonner» à votre liste des objets à mettre dans vos bagages. Par «objets impératifs», on entend notamment:

- un adaptateur et un convertisseur de courant électrique, pour l'utilisation d'appareils électriques personnels dans les destinations où les fiches sont différentes;

L'abécédaire du nécessaire

> Trousse à pharmacie de voyage;
> moustiquaire pour lit;
> trousse d'outils miniatures de dépannage;
> boussole;
> lampe de poche… de poche;

> réveille-matin format de poche;
> dictionnaire de langue et guide de conversation;
> porte-documents de voyage ajustable à la ceinture.

- une crème à écran solaire et autres produits corporels spécifiques (ex.: crème hydratante, onguent) pour les peaux sensibles ou problématiques;

- un nécessaire pharmaceutique spécifique pour les personnes souffrant d'allergies ou de problèmes de santé;

- un siège d'auto pour enfant, si vous louez un véhicule à destination (aucuns frais de transport dans les avions. De plus, il peut être rassurant d'apporter le vôtre si les normes de sécurité dans le pays visité ne sont pas assez strictes pour vous. Ici, attention toutefois: pour éviter les contraventions routières, vérifiez que les normes de sécurité du siège de votre pays d'origine soient reconnues et acceptées dans le pays visité);

- certains appareils électroniques (ordinateur portable, lecteur DVD portable, appareil photo, caméscope, etc.). ATTENTION: les pays très humides et les destinations balnéaires (avec leur air marin et leurs grains de sable qui s'incrustent partout) peuvent être sans pitié pour vos appareils électroniques s'ils sont mal entreposés. Soyez vigilant et équipez-vous convenablement de sacs hermétiques et protecteurs. Pour les inconditionnels de l'ordinateur, envisagez un hébergement avec air climatisé; si la climatisation augmente le budget, elle sera peut-être ici un investissement. Et l'ordinateur sur la plage, c'est que dans les films de fiction que ça se passe bien…

■ Les objets pour faire la conversation

De par sa durée, le long séjour à un endroit précis est susceptible de susciter de vraies rencontres. Pour créer des liens, apportez avec vous des souvenirs représentatifs de votre pays d'origine (à bâbord de l'Atlantique: un capteur de rêves amérindien ou encore un CD de musique québécoise; à tribord de l'Atlantique: un béret, une clochette, de la dentelle ou du chocolat). Si c'est cucul pour vous, ça peut être aphrodisiaque pour d'autres. Ces souvenirs égaieront les conversations de soirée avec les gens que vous rencontrerez, feront plaisir à ceux qui marqueront vos rencontres et que vous voudrez remercier, et seront aussi pour vous porteurs d'identité.

Mes proches dans ma poche

N'oubliez pas votre carnet d'adresses (version papier ou électronique), particulièrement les adresses courriels de vos proches. Internet et son système de messagerie électronique permettent aujourd'hui de garder contact avec famille et amis et d'échanger les nouvelles à moindres frais que le téléphone. De plus, aujourd'hui, nombre de pays ont des cafés Internet aussi présents et accessibles que la tabagie ou le marché du coin.

Objets de grande valeur

Avant de partir, si des objets de grande valeur font partie de votre inventaire, prévalez-vous d'un service d'identification. Ce type de service est notamment offert gratuitement dans tous les bureaux des douanes canadiennes. Ce service vise les articles qui portent un numéro de série ou d'autres marques particulières. Autre possibilité: dans certains cas, les agents de douanes apposent, sur demande, une étiquette sur un article afin de lui attribuer un numéro de série. Cette identification peut s'avérer très utile dans deux situations: en cas de vol ou de perte, elle procure des indications détaillées de l'objet par une autorité compétente; au moment d'entrer ou de ressortir d'un pays, cette identification informe que l'objet est bel et bien à vous, et qu'il est vôtre depuis votre pays d'origine. Au moment de rentrer au bercail, cette identification pourra même vous éviter de payer une taxe quelconque aux douanes, sous prétexte que vous en auriez fait l'acquisition dans un pays étranger.

Les effets personnels «renouvelables»

Certains effets se trouvent dans la catégorie «renouvelable», c'est-à-dire qu'ils s'épuiseront au fil des jours à destination. Un renouvellement sur place sera donc nécessaire. On pense ici notamment au shampoing, au dentifrice, aux serviettes hygiéniques, aux piles, etc. Puisque vous devrez les renouveler sur place, pas la peine d'alourdir vos bagages avec un trop grand nombre d'entre eux.

La bonne nouvelle est que le renouvellement de ces effets vous incitera à «consommer local» et ainsi à découvrir ce qui se fait sur place, autrement dit, à «voyager par l'article». Selon la disponibilité de ces produits, pour un «voyage par l'article» encore plus enrichissant, laissez sur les tablettes ceux de marque internationale et préférez deux de marque maison. La moins bonne nouvelle est qu'on peut parfois avoir de mauvaises surprises. Exemple: difficulté d'approvisionnement d'un produit en particulier, marque douteuse qui provoque des réactions tout aussi douteuses. Ne vous acharnez pas. Essayez autre chose ou demandez conseil comme vous le feriez chez vous: au coiffeur, à l'épicier, à la pharmacienne, etc. Vos compatriotes expatriés peuvent aussi vous conseiller pour vos approvisionnements (voir p 42).

Trousse de départ

Peu importe la destination, préparez une «trousse de départ» que vous mettrez dans vos bagages. Son contenu: des petites quantités de tout le nécessaire ménager et personnel (détergents à linge et à vaisselle – si vous logez en appartement ou villa – shampoing, produits pour le corps, etc.). Cette trousse est très utile dans la mesure où elle évite la course folle des achats de base à l'arrivée.

Livraison à destination

Vous ne pouvez vous passer de votre café préféré ou de votre crème miracle et n'êtes pas certain de les trouver sur place, à destination? (Et du café pour six mois dans ses bagages, ça pèse lourd!) Demandez à un proche de vous les envoyer par la poste. Avant le départ ou à votre arrivée à destination, informez-vous des possibilités et modalités pour recevoir du courrier (à votre adresse d'hébergement ou au bureau de poste de quartier) et faites un essai: faites-vous expédier un colis de moindre valeur, puis vérifiez s'il se rend bien jusqu'à vous et en combien de temps. Si tout se passe bien, vous venez de trouver une solution…

Les médicaments

En matière de médicaments et de leur rangement dans les bagages, les conseils de base promulgués à tous les voyageurs sont aussi les mêmes pour les «long-séjouristes»:

- les médicaments doivent être rangés dans leur contenant d'origine et – pour ceux qui prennent l'avion – dans le bagage à main qui vous suivra en cabine;
- apportez une réserve suffisante de médicaments (ceux acquis avec ou sans ordonnance);
- en cas de renouvellement inévitable de vos médicaments à destination ou simplement par mesure de précaution, apportez les ordonnances originales traduites en anglais, voire, idéalement, dans la langue du pays (si celle-ci est autre que l'anglais).

Ce que le «long-séjouriste» doit vérifier en plus:

- qu'il lui est possible d'apporter sa réserve complète de médicaments pour toute la durée de son long séjour, spécialement dans le cas où le pays visité laisse planer la certitude ou sinon le doute quant à la possibilité de s'approvisionner sur place (en cas d'une quantité importante qui pourrait titiller la curiosité des douaniers, il est de mise de garder sur soi une lettre du médecin attestant que cette quantité de médicaments est pour votre usage personnel médical nécessaire);

Faire traduire ses ordonnances, mais par qui?

Votre beau-frère qui baragouine trois mots d'anglais depuis son dernier voyage à Fort Lauderdale en 1993 n'est peut-être pas la personne adéquate en matière de traduction, surtout pour des termes médicaux ou pharmaceutiques! On frappera plutôt à la porte de la clinique de santé des voyageurs, ou à celle du consulat ou de l'ambassade du pays visité. Autres options pouvant vous aider, sinon vous donner des pistes: un notaire, l'office de tourisme ou une agence de traduction renommée.

Perte de bagages: comment renouveler les produits de nécessité capitale

Une fois à destination, dans l'éventualité où l'on a égaré certains de vos produits de nécessité capitale comme des prothèses ou encore des semelles orthopédiques absolument essentielles pour votre long séjour, demandez de l'aide auprès du consulat de votre pays. Informez-vous sur les possibilités de renouvellement sur place ou depuis votre pays d'origine.

- que la durée des ordonnances couvre toute la période du long séjour;
- que l'approvisionnement en médicaments, s'il est inévitable à destination, soit possible et aisé. Pour ce faire, les cliniques de santé des voyageurs sont aptes à vous indiquer les équivalences dans le pays visité. Ces cliniques, comme les consulats, d'ailleurs, peuvent également donner des pistes quant aux endroits où s'approvisionner en médicaments (sous quelle bannière se présentent les pharmacies locales, les cliniques dépositaires des inventaires, etc.);
- si un suivi médical est nécessaire durant le long séjour, avoir dans ses bagages une ordonnance de ce suivi qui en indique la nature, facilitant ainsi l'accès et l'approche du suivi pour le corps médical du pays visité. Dans ce cas-ci, une copie du dossier médical – ou du moins des renseignements les plus pertinents – devrait également suivre dans les bagages (faire traduire s'il y a lieu). À ce sujet, qu'un suivi médical soit nécessaire ou non à destination, une copie du dossier médical est un élément essentiel à glisser dans les bagages de toute personne souffrant d'un problème de santé.

«Faites-moi une petite place!»

Parmi les autres articles relatifs aux soins de santé de base pour lesquels on devrait accorder une petite place dans ses bagages, il y a:

- votre carnet de santé (si celui-ci contient des informations sur votre état de santé pouvant être déterminantes en cas d'hospitalisation);
- vos références en matière d'allergies (ex.: bracelet ou médaille de type *MedicAlert*, à porter sur soi en tout temps!);
- une trousse à pharmacie de voyage, qui doit être adaptée aux besoins et aux risques encourus dans la destination visitée (ex.: tel produit de premiers soins pour tel type de piqûre).
- Besoin de détails sur le sujet, voire d'une trousse à pharmacie toute prête pour le décollage? Quelques références:
- SMI – L'équipement santé en voyage: *www.smi-voyage-sante.com*
- Trousses de secours TravelSafe: *www.travelsafe-healthcare.com*

«Mon médecin refuse de prolonger mon ordonnance!»

Si votre médecin refuse de prolonger la durée de l'ordonnance de vos médicaments de façon à couvrir toute la durée de votre long séjour, c'est qu'il a sans doute une bonne raison de le faire: un suivi médical doit être fait périodiquement pour un renouvellement, des examens devront être passés après tant de semaines, etc. Autre raison: votre médecin peut juger que les changements climatiques et d'habitudes de vie sur une longue période auront probablement un impact négatif sur votre état de santé, ce qui peut modifier l'efficacité de vos médicaments. Solution: votre dossier médical sous le bras, consultez un docteur en médecine du voyage, puis évaluez avec lui les risques réels encourus et les protections pouvant atténuer ces risques. Selon le résultat de la consultation, trois possibilités:

- vous retournez consulter votre médecin traitant et discutez avec lui de votre consultation en médecine du voyage;

- vous demandez des références dans une clinique pour voyageurs sur les médecins traitants à destination ou les autres options qui s'offrent à vous dans le pays où vous «long-séjournerez»;

- la destination que vous avez choisie n'est vraiment pas adéquate pour votre état de santé! Soit qu'elle n'est pas recommandable pour vous à cause des risques encourus, soit que votre état de santé ne vous permet pas de «long-séjourner» dans ce pays.

Les programmes d'assurance voyage

I l existe trois types de personnes: celle qui contracte une assurance voyage, celle qui ne contracte pas d'assurance voyage parce qu'elle se sait assez riche pour payer les frais médicaux s'il lui arrive un incident de parcours, et, la troisième, celle qui ne contracte pas d'assurance voyage parce qu'elle n'a rien à perdre sur le plan financier, c'est-à-dire qu'elle n'est pas du tout solvable. Si vous le voulez bien, nous allons spécifiquement nous intéresser à la première personne…

Les points à surveiller par les «long-séjouristes»

■ Les mises en garde et les impératifs

- Les coûts liés à une assurance voyage pour un long séjour peuvent être considérables, selon votre âge, la durée de votre séjour et votre bilan de santé. Pour cette raison, une demande de soumission devrait être effectuée avant même de réserver votre billet d'avion et votre hébergement;

- les plans d'assurance annuels ne sont pas la solution clé en main pour les longs séjours. Ces plans ont été mis sur pied pour les gens qui font plusieurs voyages à l'intérieur d'une année. Ils couvrent un nombre cumulatif maximal de jours de voyage dans une année;

- même si vous êtes couvert par votre régime provincial (assurance maladie ou encore sécurité sociale), il est imprudent de ne pas souscrire une assurance assistance voyage complémentaire;

- si vous souffrez d'une maladie, si votre état de santé est particulier ou si vous avez reçu un traitement médical au cours des six derniers mois avant votre voyage, vous devez en aviser votre assureur éventuel, à défaut de quoi vous ne serez pas indemnisé en cas de pépin à l'étranger (votre police peut même être automatiquement annulée dans l'éventualité d'une fausse déclaration);

- assurez-vous que la durée de votre plan d'assurance couvre bien toute la durée de votre long séjour;

- dans la majorité des cas, l'assurance voyage couvre les frais médicaux engagés à l'étranger en cas d'urgence seulement. Les frais liés au traitement de maladies préexistantes ou aux traitements non urgents (ex.: chirurgie esthétique) ne sont habituellement pas remboursables;

- si vous voyagez avec des membres de votre famille, il pourrait vous coûter moins cher de souscrire une assurance couvrant l'ensemble de votre famille (ex.: un forfait familial) que des contrats individuels;

- vos cartes de crédit offrent souvent une protection de base pendant un nombre déterminé de jours dans une année et limitent le montant que le client peut réclamer. De plus, ces programmes de base ne couvrent généralement pas l'annulation ou l'interruption de voyage;

- même si vous êtes membre d'un régime collectif d'assurance, celui-ci ne couvre pas nécessairement toutes les situations d'urgence et comporte probablement aussi des limitations de la garantie;

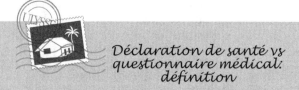

Déclaration de santé vs questionnaire médical: définition

Une déclaration de santé sert à déterminer ce qui sera couvert ou non et le taux de la prime. Un questionnaire médical sert à déterminer si une condition de santé préexistante (autrement dit, une maladie connue) sera couverte ou non. Enfin, une condition préexistante est une condition de santé qui existe déjà au moment de l'achat du contrat d'assurance ou au moment du départ.

- le type de programme d'assurance voyage et la prime à débourser reposent sur trois critères principaux: votre âge, votre état de santé à la veille du départ et la durée de votre séjour;
- les classes d'âge ainsi que les particularités de l'état de santé d'une personne à partir desquelles les primes sont calculées peuvent différer d'un assureur à l'autre.

■ Les questions à poser à l'assureur

Assurance vs assistance: définition

Il y a «contrat d'assurance» pour «régler un préjudice», et il y a «contrat d'assistance» pour «assister une personne en difficulté». La nature de cette assistance est très large et peut intervenir dans de multiples domaines.

- Exige-t-il que vous soyez toujours assuré par le régime d'assurance maladie ou sécurité sociale de votre province ou de votre pays?
- votre assurance vous donne-t-elle accès à une ligne téléphonique d'urgence accessible de n'importe où dans le monde et en tout temps si vous êtes en difficulté?
- la ligne d'urgence a-t-elle accès auprès de téléphonistes qui parlent plusieurs langues?
- la ligne d'urgence permet-elle de parler à des infirmiers ou à des médecins?
- les frais d'hospitalisation et les frais médicaux connexes sont-ils réglés directement par la compagnie d'assurances? Devez-vous faire le paiement tout de suite et vous faire rembourser plus tard?
- la compagnie versera-t-elle à l'hôpital une avance de fonds en espèces si celui-ci l'exige?
- l'assurance couvre-t-elle votre rapatriement vers le lieu le plus proche où l'on offre les soins médicaux appropriés ou vers votre pays d'origine, avec le personnel médical d'accompagnement?
- couvre-t-elle les coûts liés à un décès à l'étranger, y compris le rapatriement d'une dépouille dans le pays d'origine?

Stabilité: définition

Dans le langage du monde des assurances, le terme «stabilité» désigne la condition médicale d'un voyageur étudiée durant une période déterminée précédant le départ pour se prévaloir de ses droits pour l'assurance médico-hospitalière et l'assurance annulation. Cette période, généralement de trois mois, peut varier d'une compagnie à l'autre.

■ Quelques précautions à prendre

- Dans vos documents de voyage, gardez des formulaires de demande d'indemnité;
- à destination, ayez toujours avec vous une copie de votre police d'assurance ainsi que les numéros de téléphone du centre de service à la clientèle. Confiez également ces renseignements à un proche dans votre pays d'origine;
- à destination, pour tout traitement médical dont vous aurez réglé les frais vous-même, faites-vous remettre une facture détaillée par le médecin ou

l'hôpital. La plupart des compagnies d'assurances n'acceptent pas les copies ou les télécopies.

■ Les programmes des cartes de crédit

Les assurances voyage offertes par l'émetteur de votre carte de crédit (souvent les cartes «or» ou «platine») doivent être passées au peigne fin. Il faut être très prudent quant au bouquet complet des risques assurés offert, aussi doit-on vérifier les points suivants:

· les exigences relatives à l'admissibilité;

· les restrictions quant à l'âge ou aux maladies préexistantes;

· le nombre de jours de couverture dont vous bénéficiez par année;

· les restrictions relatives à la durée du voyage;

· la marche à suivre pour obtenir de l'assistance médicale pendant un voyage à l'étranger.

Regard sur les particularités des programmes d'assurance

■ Les exclusions possibles

Selon l'âge

L'âge d'une personne n'est pas à lui seul un facteur qui pourrait faire en sorte qu'on ne puisse pas être assuré par un assureur. L'âge aura par contre une influence sur la prime à payer. Aussi, l'âge est pris en compte en parallèle avec l'état de santé et les conditions préexistantes d'une personne.

Selon l'état de santé

Ce sont les conditions préexistantes de l'état de santé d'une personne (maladie connue et déclarée) qui peuvent être matières à exclusion. Un cas de figure: une personne qui déclare avoir reçu un traitement pour une bronchite chronique, au cours des six derniers mois précédant la date du voyage, pourra être assurée, mais la condition déclarée (ici, la bronchite chronique et les effets qui en découlent) ne sera pas couverte. ATTENTION: si, après évaluation, votre assureur accepte de couvrir votre maladie préexistante, demandez-lui de le certifier

Programme pour retraités migrateurs

Certaines compagnies d'assurances voyage proposent des programmes intitulés *Retraités migrateurs*. Par exemple, au Canada, la compagnie ETFS et son partenaire assureur, Royal & SunAlliance, détaillent une option de ce programme conçue pour les «long-séjouristes», soit le «Régime quotidien voyage unique»: jusqu'à 182 jours (212 pour les résidants de l'Ontario) à l'extérieur de votre province, de votre territoire de résidence ou du Canada.

«Pourquoi des assureurs voyage n'imposent-ils pas de franchise?»

En raison des conséquences qui risquent de survenir sur la santé et à cause du comportement qu'une personne peut développer uniquement à cause d'une franchise à payer. Cas de figure: en voyage, un homme de 70 ans ressent un malaise à l'estomac mais se dit que, probablement, cela est dû à sa digestion, et se dit aussi – et surtout – que s'il va voir un médecin pour ce malaise, il devra payer la franchise pour le remboursement de sa visite. Décision: il préfère attendre en espérant que cela va passer. Le lendemain matin, notre même homme ne va pas mieux, mais la question de la franchise tourbillonne toujours dans sa tête... Et il s'abstient encore. Les jours passent et la situation s'aggrave, et notre homme doit se rendre à l'hôpital. Il paie la franchise, certes, mais malheureusement, son état de santé est beaucoup plus grave que s'il avait décidé de consulter un médecin dès les premiers symptômes...

par écrit. Aussi, si votre assurance exclut les maladies préexistantes, évaluez soigneusement les coûts éventuels et l'accessibilité des services dont vous pourriez avoir besoin dans le pays où vous comptez séjourner.

Selon la période d'évaluation médicale précédant le départ

La période qui précède le départ du voyage et durant laquelle un assureur garde un œil sur les conditions de santé particulières de la personne peut varier (ex.: trois mois, six mois, un an), soit d'un assureur à l'autre, soit selon l'âge de la personne, soit selon sa condition médicale (et les traitements reçus).

Selon la durée du long séjour

La durée d'un long séjour n'est pas à elle seule un facteur qui pourrait faire en sorte qu'on ne puisse pas être assuré par un assureur. La durée aura par contre, bien entendu, une grande influence sur la prime à payer.

Selon la destination

La destination n'est pas non plus, à elle seule, un facteur qui pourrait faire en

«J'ai une maladie chronique. Est-ce que je suis couvert quand même?»

Principalement, les assureurs vous répondront que tout dépend de la maladie, de sa gravité et de sa stabilité. Si certaines maladies sont couvertes, pour d'autres, selon l'assureur, on exigera une stabilité de trois ou six mois, selon votre âge. Selon l'assureur toujours, on vous offrira peut-être la possibilité de couvrir votre maladie une fois après avoir rempli un questionnaire médical. Ce questionnaire devra être rempli par votre médecin traitant. Ensuite, votre bilan de santé sera alors évalué par une équipe médicale de l'assureur. Si le questionnaire médical est accepté, vous pourrez alors voyager l'esprit tranquille, puisque votre maladie chronique aussi sera couverte.

sorte qu'une personne ne puisse pas être assurée par un assureur. Par contre, la destination, mise en parallèle avec l'état de santé, si elle n'est pas matière à exclusion, peut devenir matière à questionnement principalement dans le cas où une personne

Gros plan sur Mondial Assistance

En France, la compagnie **Mondial Assistance** *(www.mondialassistance.fr)* propose le programme *Solution Globe Trotter* pour les séjours de plus de trois mois à l'étranger et les tours du monde. Cette option couvre une foule de choses: assistance à la personne, frais médicaux et d'hospitalisation d'urgence, dommages aux bagages, responsabilité civile, capital en cas d'accident, annulation du premier vol, vol de vélo à l'étranger.

Mondial Assistance propose également le programme *Solution Assistance*, destiné aux séjours longue durée de moins de trois mois.

Autre produit offert, la carte *Lifecarte*, lisible en six langues sur tous les téléphones portables. Cette carte à puce fournit aux services d'urgence, en cas de problèmes, les informations essentielles concernant votre état de santé.

Particularités pour les tours du monde

Mondial Assistance propose également une assurance «Tour du Monde» ou «Europe» pour les longs séjours d'une durée comprise entre trois mois et trois ans, et dont les garanties proposées sont: assistance aux personnes, frais médicaux et d'hospitalisation à l'étranger, dommages aux bagages, RC (responsabilité civile) vie privée à l'étranger, individuelle accident, annulation du premier vol, vol de vélo à l'étranger.

souffre d'une maladie chronique. Le médecin traitant sera celui qui pourra vous conseiller à ce sujet. Enfin, ce n'est pas parce qu'on accepte de vous assurer que vous êtes obligé de prendre des risques, hein?

Regard sur les limites des régimes publics gouvernementaux

■ Au Canada

Pour tous les Canadiens couverts par le régime d'assurance maladie de leur province, les frais médicaux engagés à l'extérieur de cette province sont remboursables, mais jusqu'à une certaine limite (nettement inférieur au coût réel des soins et services médicaux). De plus, chaque province détermine un plafond de remboursement en ce qui touche les frais liés aux soins médicaux, aux fournitures et à divers autres éléments.

En vertu de la plupart des régimes d'assurance maladie provinciaux, vous devez habiter dans votre province durant un nombre minimal de jours par année (ex.: totalisant six mois par année) pour que votre couverture soit maintenue en vigueur. Par exemple, si vous décidez de passer l'hiver en Floride et restez plus de six mois aux États-Unis, il est possible que votre couverture au titre du régime provincial soit résiliée.

Dans cette éventualité, vous devrez peut-être attendre trois mois après votre retour avant d'être de nouveau assuré par le régime. Vérifiez, auprès du ministère de la Santé de votre province, les conditions particulières qui s'appliquent dans votre cas. Renseignez-vous également pour savoir combien de temps vous pouvez séjourner hors du pays sans perdre votre droit au régime d'assurance maladie. Parfois même, une personne qui entreprend

«Je risque de perdre ma couverture provinciale. Que puis-je faire?»

Si la durée de votre séjour à l'étranger est telle que vous n'aurez plus droit à l'assurance-maladie de votre province, outre la possibilité de trouver un arrangement avec les autorités concernées, une solution: on vous suggère de vous procurer une «assurance de remplacement», et non pas simplement une «assurance complémentaire». Ainsi, assurez-vous au moment de l'achat que l'assureur sait que vous ne serez plus couvert par votre régime provincial.

un tour du monde sur une année, par exemple, pourra, si elle renonce à sa couverture provinciale pendant toute la durée de son périple, retrouver cette couverture sans ce délai de pénalité de trois mois dès son retour au pays.

Voici le fonctionnement du régime canadien de l'assurance maladie, en cas de pépin:

Les services non couverts à l'étranger (peuvent différer quelque peu d'une province canadienne à l'autre):

- tout service médical non couvert dans la province d'origine;
- les services rendus par un professionnel autre qu'un médecin, un dentiste ou un optométriste;
- les frais pour une chambre privée ou semi-privée à l'hôpital;
- le transport d'urgence, qu'il soit terrestre ou aérien;
- le rapatriement d'une personne dans sa province d'origine;
- les médicaments achetés à l'extérieur de la province (même s'ils sont prescrits par un médecin). Avant son départ, la personne qui prend des médicaments de façon régulière peut cependant voir avec son pharmacien ou son médecin s'il est possible d'obtenir ceux dont elle aura besoin pendant son absence;
- le voyageur qui n'a pas souscrit une assurance privée avant son départ doit donc assumer les frais de ces services, et ce, en totalité.

Les services couverts à l'étranger (peuvent différer quelque peu d'une province canadienne à l'autre):

- seuls les services professionnels et les services hospitaliers rendus en cas d'urgence, c'est-à-dire à la suite d'une maladie soudaine ou d'un accident;
- les services hospitaliers assurés par le régime d'assurance hospitalisation: les services liés à un séjour à l'hôpital ou les services rendus à la consultation externe d'un hôpital (soins infirmiers, services de diagnostique, hébergement en salle publique, médicaments administrés pendant l'hospitalisation).

La Régie de l'assurance maladie rembourse les services professionnels jusqu'à concurrence des tarifs en vigueur dans la province canadienne de résidence de l'assuré, et ce, même si la personne assurée a déboursé davantage.

■ En Europe

Les Européens peuvent aussi bénéficier de l'application de la sécurité sociale dans le cas de soins inopinés engagés à l'étranger (soins imprévisibles et immédiatement nécessaires). Dans ce cas-là, les bénéficiaires devront faire l'avance des frais et devront garder les justificatifs (feuilles de soins, factures et autres), qu'ils remettront ensuite à leur caisse d'assurance maladie à leur retour au bercail. Le remboursement, qui pourra être effectué par une caisse d'affiliation, sera un remboursement forfaitaire dont le montant ne pourra pas excéder le remboursement qui aurait été alloué si les soins avaient été donnés dans le pays européen.

Pour éviter les mauvaises surprises, les ressortissants doivent se renseigner sur leur statut vis-à-vis de la sécurité sociale. On suggère également de demander une «attestation de droit». Les détenteurs seront couverts par la sécurité sociale pour les prestations maladies lorsqu'elles se retrouveront dans l'Espace économique européen mais aussi en dehors de l'Europe. Toutefois, en l'absence de conventions bilatérales, un remboursement ne sera effectué qu'en vertu des barèmes de sécurité sociale de

Quand un ministère des Affaires étrangères s'en mêle...

La recommandation d'un gouvernement de ne pas se rendre dans un pays étranger est un risque assuré par la protection d'annulation d'un contrat d'assurance, en autant que cet avis recommande explicitement d'éviter la destination. Par exemple, si un ouragan n'est pas d'emblée un risque assuré, il le deviendra si un gouvernement émet un avis de ne pas se rendre dans la destination où a eu lieu ce même ouragan.

Le détenteur de la police d'assurance annulation sera donc couvert pour la portion non remboursable de son voyage prévu dans cette destination. Il ne sera pas couvert si:

> il achète son voyage après qu'un avis a été émis;

> il décide de voyager malgré l'avis;

> il décide d'annuler son voyage alors que l'avis du gouvernement invite seulement à la vigilance.

Enfin, il est important de noter que certaines compagnies d'assurances voyage considèrent uniquement ce type d'avis comme un risque assuré s'il est émis avant le départ de l'assuré.

son pays d'origine et uniquement, rappelons-le, s'il s'agit d'un événement inopiné, comme un accident ou une maladie contractée à l'étranger.

Enfin, si ces droits ne sont pas couverts, il n'est pas impossible de cotiser de manière volontaire à la sécurité sociale. Selon les revenus des années précédentes, la cotisation peut par contre être élevée.

La carte européenne d'assurance maladie

Les Européens qui planifient un long séjour dans un pays de l'Espace économique européen sont invités à se procurer la carte européenne d'assurance maladie. Nominative et individuelle (pour adulte

Sous le bistouri à destination

Lifting, augmentation mammaire, diminution de la masse adipeuse, redressement d'une hanche, remodelage de la dentition, et ce, aux meilleurs prix internationaux. Tourisme esthétique, tourisme médical ou tourisme chirurgical, un rappel: sachez que peu importe leur appellation, toutes ces formules voyage ne sont pas couvertes par les programmes d'assurance voyage.

et enfant), cette carte atteste de vos droits à l'assurance maladie et permet la prise en charge de vos soins en Europe.

Pour obtenir votre carte, adressez-vous à votre caisse d'assurance maladie au moins deux semaines avant votre départ. Vous n'avez aucun document à fournir, et votre carte est valable pour un an. En cas de perte ou de vol, informez votre caisse d'assurance maladie et adressez-vous à l'organisme compétent du pays visité.

Mode d'emploi: chez le médecin, le pharmacien et dans les hôpitaux du service public, présentez votre carte européenne d'assurance maladie. Grâce à celle-ci, vos frais médicaux sont pris en charge dans les mêmes conditions que pour les assurés du pays qui vous accueille.

«Rendez à César ce qui est à César!»

Si, comme toutes les entreprises dans le monde, les compagnies spécialisées dans l'assurance voyage défendent leurs intérêts (en décourageant par exemple les futurs voyageurs de contracter une assurance voyage auprès de son institution financière), elles soulignent toutefois un bon point: l'achat de n'importe quel produit ou service devrait se faire auprès d'un spécialiste. Qui plus est, dans le registre des assurances voyage, l'achat d'un contrat est une chose et l'assistance en est une autre. D'une part, une compagnie spécialisée dans l'assurance voyage ou l'assistance au voyageur à l'étranger est plus à même d'offrir une gamme complète de programmes. D'autre part, plusieurs compagnies d'assurances pour qui l'assurance voyage est un produit dérivé ne maîtriseront peut-être pas aussi bien les clauses, primes, programmes et vocabulaire du voyage.

Ressources et références

Au Québec, les contrats avec une compagnie spécialisée dans l'assurance voyage sont proposés dans les agences de voyages. En Europe, les contrats peuvent être trouvés dans les banques, les bureaux de poste, les caisses d'épargne et dans certaines agences de voyages.

Belgique

- **Airstop:** *www.airstop.be*
- **Del-Tour:** *www.del-tour.com*
- **Ethias:** *www.ethias.be*
- **Europ Assistance Belgique:** *www.europ-assistance.be*
- **Inter Partner Assistance:** *www.ip-assistance.be*
- **Mondial Assistance Belgique:** *www.mondial-assistance.be*
- **Protections:** *www.assurancevoyage.be*
- **P & V:** *www.pv.be*
- **Touring Assistance:** *www.touring.be*

Canada

- **Association canadienne des compagnies d'assurances de personnes:** *www.clhia.ca*
- **CanAssistance:** *www.canassistance.com*
- **Co-operators Travel Insurance:** *www.cooperatorstravelinsurance.ca*
- **Croix Bleue du Québec:** *www.qc.croixbleue.ca*
- **ETFS:** *www.etfsinc.com*
- **Global Excel:** *www.globalexcel.ca*

- **InsureMyTrip** (site de comparaison de programmes d'assurance voyage): *www.insuremytrip.ca*
- **Office de la protection du consommateur:** *www.opc.gouv.qc.ca*
- **Régime de l'assurance maladie du Québec (RAMQ):** *www.ramq.gouv.qc.ca*
- **RBC Assurances:** *www.rbcassurances.com*

France

- **AVA Assurance-Voyages & Assistance:** *www.ava.fr*
- **AVI International:** *www.avi-international.com*
- **AXA Assistance:** *www.axa-assistance.fr*
- **Centre de Liaisons Européennes et Internationales de Sécurité Sociale:** *www.cleiss.fr*
- **Europ Assistance France:** *www.europ-assistance.fr*
- **Fédération Française des Sociétés d'Assurances:** *www.cdia.fr*
- **Groupe Generali:** *www.generali.fr*
- **Institut National de la Consommation:** *www.conso.net*
- **L'Européenne d'Assurances:** *www.leassur.com*
- **Mondial Assistance France:** *www.mondial-assistance.fr*
- **Voyage-Assurance.com** (site français d'information sur les formules d'assurance voyage): *www.voyage-assurance.com*

Suisse

- **AXA Winterthur:** *www.axa-winterthur.ch*

9

Comment établir son budget

Que la vie serait agréable si l'on nous disait: *Votre voyage va vous coûter tant!* Mais soyons honnêtes; on la veut et on l'aime beaucoup plus compliquée que cela, notre vie, non? Néanmoins, retenons ceci: vous voulez partir, mais vous avez des craintes quant à l'aspect financier? C'est parfait! Alors comptez, calculez et budgétisez maintenant…

Dans ce chapitre, nous ne répondrons pas à la question *«Combien coûte un long séjour dans tel pays?»*. Vous savez très bien qu'il est impossible de le faire, encore moins une personne autre que vous-même. Car si l'on s'interroge dans ce sens, cela dépend de la saison du séjour, de la région du pays, du choix de l'hébergement, de vos habitudes de consommation, des moyens que vous vous donnerez à disposition, etc. Par ailleurs, si l'on s'interroge dans l'autre sens – *Quel est le budget à ma disponibilité?* –, l'exercice est tout autre. Enfin, contrairement au court séjour, le long séjour implique des dépenses à l'étranger, mais aussi des dépenses additionnelles pour le lieu de résidence permanente qu'on laisse derrière soi. La présence ailleurs a un prix, l'absence ici sans doute aussi. Cela dit, pour chacun de ces critères, ce chapitre vous donnera des pistes pour établir votre budget plus facilement et de façon plus juste.

Établir son budget à partir des facteurs incontrôlables

Comme leur nom l'indique, les facteurs incontrôlables sont hors de notre contrôle. Dans l'établissement d'un budget voyage, on pense ici au coût de la vie à destination (du prix de l'essence au prix du pain), aux variantes de la tarification basées sur les saisons de l'année, au taux de change en vigueur et aux dépenses nécessaires et sans possibilité aucune de pouvoir en être exempté.

■ Coût de la vie à destination

Plus que pour tout autre type de voyage, le «long-séjouriste» doit absolument prendre en compte le coût de la vie de la destination où il vivra pendant plusieurs semaines ou plusieurs mois. Si l'on se doute bien qu'un café en Inde ou au Costa Rica n'est pas aussi cher que dans le sud de la France ou de l'Espagne, imaginez maintenant lorsque ce même café est payé trois fois le prix auquel on s'attendait, et ce, pendant une période de trois ou six mois! Et l'on parle seulement du café…

Dans la collecte d'informations sur le coût de la vie d'une destination étrangère, il est impératif que cette recherche soit effectuée auprès de ressources fiables. Remerciez chaleureusement la voisine de votre nièce pour ses précieux conseils, mais les offices de tourisme, les consulats ou même les sites Internet de comparaison des indices du coût de la vie des pays dans le monde sont sans doute mieux appropriés. De plus,

«L'indice Big Mac»

Pour savoir ce qui vous attend en ce qui concerne le niveau de vie du pays visité, pourquoi ne pas consulter l'«indice Big Mac»! Tous les ans, l'hebdomadaire financier *The Economist* parcourt le monde pour relever le prix du célèbre «Big Mac» de McDonald's dans chaque pays et mettre à jour son classement. Les prix d'abord exprimés dans la monnaie locale sont ensuite convertis en dollars américains pour une meilleure comparaison. L'indice s'appuie sur la théorie de la parité du pouvoir d'achat (le *purshasing-power-parity* ou «PPP»): le même bien doit avoir la même valeur partout. Mais son objectif final est de vérifier si une monnaie donnée est surévaluée ou sous-évaluée par rapport à une autre. *The Economist* se targue donc d'avoir créé, en 1986, un outil économique facile d'accès permettant de rendre la théorie du taux de change accessible au commun des mortels. Le classement permet aussi de voir, en un clin d'œil, le niveau de vie dans ces pays. Ainsi, l'indice a aussi été mobilisé par l'Union de Banques Suisses (UBS) afin de mesurer le niveau de vie des villes, en établissant un classement du temps de travail nécessaire pour l'achat d'un bien de consommation déterminé. À titre d'exemple, en 2006, pour pouvoir acheter un «Big Mac», il fallait travailler 35 min au niveau mondial, 13 min à Chicago, 21 min à Paris et 90 min à Nairobi. Le classement permet également de prendre conscience, clairement et simplement, des écarts importants. Site Internet: *www. economist.com/markets/bigmac*.

si vous avez déjà «court-séjourné» dans le pays où vous souhaitez cette fois-ci «long-séjourner», faites attention aux souvenirs que vous en avez, et ce, particulièrement si vos séjours précédents étaient essentiellement dans des établissements hôteliers «tout-compris». Car le coût de revient à la journée dans ce type d'établissement n'est pas forcément un indicateur du coût de la vie à destination, «forfaitisation» oblige.

Pour établir un budget sans mauvaise surprise, il est également impératif que cette quête d'informations soit effectuée pour tous les aspects les plus pertinents d'un voyage, ou du moins pour tous les aspects qui toucheront directement votre séjour à destination. Par exemple, si vous comptez louer une voiture, connaître le coût de l'essence et – s'il y a lieu – du péage routier est indispensable.

Enfin, l'importance de se faire une idée du coût de la vie, pour un échantillonnage représentatif de produits de consommation courante, réside dans le fait que d'importantes variantes peuvent exister d'un produit à l'autre. Par exemple, si le coût des services d'un chauffeur de taxi pour une journée complète est dérisoire au Panamá, on s'apercevra que, dans ce même pays, plusieurs produits tout aussi dérisoires chez nous sont très chers là-bas, conséquence de l'importation (ex.: le shampoing). S'il est vrai que la valeur d'un shampoing ne remettra tout de même pas en question le choix d'une destination, bien connaître les échelles et indicateurs de prix, c'est mieux documenter son budget.

■ Tarification selon la saison

Pratique établie partout et tout à fait dans la logique des affaires, la tarification basée sur les saisons touristiques est un élément clé à connaître et à prendre en compte. Parce que les variantes de prix qu'elle provoque peuvent être considérables, cette tarification basée peut même, pour certaines personnes, modifier le cours d'un séjour ou d'un voyage.

Les produits touchés par cette pratique sont aussi bien l'hébergement que la location de voitures, les excursions comme les billets d'avion. Ce qu'il faut retenir, c'est qu'à la différence d'un court séjour, il n'est pas impossible que le long séjour «traverse» plus d'une saison touristique et ainsi donc plus d'une tarification. Dans la majorité des cas, des dates fixes et déterminées de façon permanente sont établies par les fournisseurs de services pour différencier la tarification entre la «basse saison» et la «haute saison». Informez-vous de ces dates de changement de saison/tarification, surtout si une négociation du tarif global pour votre séjour est possible. Ces tarifications peuvent passer du simple au double ou du double au simple au cours d'un même long séjour.

■ Le taux de change des unités monétaires

Dans ce cas-ci, bien qu'il serait surprenant que, durant un même long séjour, le taux de change soit modifié du simple au double ou du positif au négatif, celui-ci mérite tout de même une attention particulière et quelques précautions. D'abord, ne vous trompez surtout pas dans vos calculs. Croire qu'on doit diviser alors qu'il faut plutôt multiplier peut entraîner un choc «post-long séjour» très sérieux! Être peu vigilant pendant deux semaines, ça peut aller; pendant trois mois, alors là, non!

Enfin, puisqu'il est impossible non seulement de prévoir les variantes du taux de change mais également le moment où entreront en vigueur ces variantes, la seule solution prudente est donc de s'imposer des marges de manœuvre, autrement dit, de laisser quelques dollars ou quelques euros en surplus traîner sur la table à calculs budgétaire.

Celui qui n'a pas d'argent dans sa poche en a besoin sur la langue… - proverbe juif

■ Les dépenses nécessaires

Au registre des dépenses nécessaires, certaines d'entre elles sont non seulement inévitables mais également à un tarif incontrôlable, c'est-à-dire n'offrant aucune alternative à meilleur prix. À titre d'exemple, le coût du passeport et du visa de séjour (s'il y a lieu); parfois même celui du billet d'avion. Sans oublier celui des assurances.

L'exercice mathématique est donc fort simple: on ajoute ces sommes dans la colonne «dépenses obligatoires».

Établir son budget à partir des facteurs contrôlables

Comme leur nom l'indique, les facteurs contrôlables sont sous notre contrôle. On pense ici à l'éventualité où une somme d'argent fixe est à sa disposition pour effectuer le voyage, au niveau de confort envisagé à destination (déplacements en transport en commun ou voiture à la porte, appartement ou villa) ou encore à son propre mode de vie au quotidien (dépendance à la haute gastronomie ou adepte du pique-nique léger, consommateur tous azimuts ou disciple de la vie constituée «d'amour et d'eau fraîche»…).

Les facteurs contrôlables doivent être perçus comme nos amis. Et par définition, nos amis nous sont sympathiques et réceptifs, et parfois prêts à faire des concessions pour nous aider et nous accommoder. Alors, si après calcul vous défoncez votre budget, ne voyez pas là un drame si un régime minceur est nécessaire. Il suffit simplement de reconnaître ses priorités parmi les petites gâteries non vitales ou un peu trop farfelues, de négocier avec sa raison et de faire des choix.

Attention: évitez certaines économies de bouts de chandelles

Vouloir par exemple économiser le tiers du prix du billet d'avion en optant pour un itinéraire de vol à multiples escales ou changements d'appareil, alors qu'un vol direct sans escale est proposé par un autre transporteur, peut coûter beaucoup plus cher en bout de ligne. Dans cet exemple-ci, ce serait s'exposer à un degré plus élevé d'une perte de bagages et davantage à des inconvénients possibles liés notamment à des retards de vol qui surviennent toujours sans préavis, lesquels peuvent carrément vous faire rater une correspondance. Enfin, même si on l'aura tout le temps de récupérer à destination puisqu'on y est pour plusieurs semaines, on s'épuise davantage au cours d'un itinéraire de vol à multiples escales ou correspondances.

Contrôlez les prix en magasinant futé

Dans le but de gagner la confiance des consommateurs qui se soucient d'obtenir le meilleur prix disponible, plusieurs grandes chaînes hôtelières, entre autres Marriott, InterContinental, Hilton, Hyatt, Starwood et Wyndham, proposent désormais des garanties de meilleurs prix pour les réservations effectuées par Internet sur leur portail.

Les modalités se résument habituellement à ceci: un client qui, pour la même chambre et aux mêmes dates de séjour, trouve ailleurs sur Internet un meilleur tarif, obtient un remboursement majoré d'une compensation. Cette compensation peut prendre la forme d'un remboursement de la première nuitée (complété d'un tarif ajusté pour les nuitées suivantes), d'un rabais pouvant atteindre 25% sur le tarif ou d'une remise en argent. Le consommateur peut se prévaloir de ces offres s'il déniche, dans les 24 heures suivant la transaction, une meilleure proposition ailleurs sur Internet.

Les grandes agences de voyages en ligne ont aussi lancé des politiques similaires. Par exemple, Expedia a opté pour un programme qui garantit le meilleur prix, non seulement pour les chambres d'hôtel, mais aussi notamment pour les billets d'avion. Un remboursement de la différence du prix, combiné à un dédommagement d'un montant en argent utilisable au moment d'une prestation future, est ainsi offert à la clientèle.

Pour sa part, Travelocity a adopté la stratégie suivante: c'est l'ensemble des composantes de la transaction que l'agence offre en garantie. Par exemple, elle promet d'assumer jusqu'au bout son rôle d'intermédiaire et d'intervenir auprès des fournisseurs partenaires afin de résoudre certains problèmes, qu'ils subviennent avant, pendant ou après le voyage. Ce programme comprend également un volet de garantie des meilleurs tarifs.

Enfin, l'application de ce type de garantie a incité les grands acteurs de l'industrie du voyage à s'ajuster, mais, même si les importantes différences de prix observées en ligne pour un même produit sont maintenant rares, il faut être vigilant.

Établir son budget en tenant compte des impondérables

On le disait précédemment, contrairement au court séjour, le long séjour implique aussi des dépenses additionnelles pour son lieu de résidence permanente qu'on laissera derrière soi.

Ces dépenses peuvent être pour la garde du chat (qu'on ne pourra laisser seul à la maison pendant quatre mois), pour le contrat de déneigement (si l'on assumait soi-même celui-ci), pour la rétention de son courrier par le bureau de poste de quartier, etc. Consultez le chapitre «Comment préparer sa longue absence» pour d'autres exemples (voir p 47).

Quelques pistes pour mieux budgétiser

- Consultez plusieurs guides de voyage portant sur la même destination et faites des moyennes avec les indices de prix indiqués; ces derniers, s'ils peuvent varier d'un guide à l'autre, sont de bons indicateurs une fois traduits en moyenne.

- Consultez les forums de discussion sur Internet, spécialement ceux abordant les longs séjours dans le monde.

- Pour des idées, lisez le guide *You can travel free* de Robert William Kirk, éditions Pelican Publishing Company.

- Consultez votre calculette ou votre comptable préféré.

Le voyageur est un vagabond qui a de l'argent.
- Michel Chrestien

Quelques pistes pour économiser

- Optez pour un hébergement avec cuisinette et concoctez-vous de petits plats.

- Préférez les produits locaux à ceux d'importation (vin, boissons, shampoing, savon, etc.). De cette façon aussi, vous vous enrichirez davantage sur les us et coutumes du pays.

- Choisissez une voiture à essence la moins coûteuse dans le pays visité, et si possible sans climatisation.

- Aventurez-vous «local» (un rendez-vous chez le coiffeur ou le barbier du coin peut être aussi enrichissant et même plus anecdotique que la grande expédition touristique en 4x4 ou à dos de mulet).

- Faites vos achats comme un «consommateur assidu». Les programmes de fidélisation des grandes compagnies de ce monde n'ont pas inventé la roue; ils suivent tout simplement la logique du volume et de la répétition de l'acte: *Plus souvent vous achetez chez nous, plus je suis prêt à vous consentir un rabais.* Le poissonnier ou le boucher de quartier connaît aussi cette logique. Et si ce n'est pas une réduction du prix, ce sera peut-être trois crevettes en plus que vous aurez. En prime, c'est souvent en revenant, revenant et revenant qu'on se fait des amis…

- Plus souvent qu'autrement, gardez le contact avec vos proches par courriel (moins cher) plutôt que par téléphone.

- Pensez «échanges de services»: proposez votre savoir-faire en échange de ceci ou égayez le quotidien de vos hôtes avec vos prouesses artistiques en contrepartie de cela. Si l'on peut le faire ici, pourquoi ne pas le faire là-bas?

- À destination, repérez les lieux où la population locale fait ses achats; ici comme ailleurs, elle choisit rarement volontairement de payer plus cher pour les denrées nécessaires du quotidien…

- À moins que votre condition physique ne vous éloigne des balades quotidiennes en vélo et que vous envisagiez une utilisation fréquente d'un véhicule, trouvez une solution de rechange à la location d'une voiture (transport en commun, location d'une mobylette ou scooter, voire location sporadique d'une voiture).

- Dans la mesure du possible, voyagez comme un saumon, c'est-à-dire à contre-courant: en dehors de la haute saison touristique.

Comment «emménage-t-on» dans une destination étrangère?

S'installer dans un pays étranger pour une longue période s'apparente à l'immigration. Séjour temporaire et sans recherche d'emploi, certes, mais une similitude à l'immigration tout de même. En fait, il est souhaitable de le voir ainsi, car l'immigré, pour écouler des jours meilleurs, et ce, dès les premières heures, doit stimuler son approche par l'immersion, qui contribuera ensuite efficacement à solliciter son sens de l'adaptation. Et le «long-séjouriste» a tout intérêt à s'inspirer de la formule.

> *Il faut se piquer d'être raisonnable, mais non pas d'avoir raison; de sincérité et non pas d'infaillibilité.* - Joseph Joubert

Nouveaux arrivants: piquez-vous à l'immersion

La formule «long séjour» est la formule «vacances-voyage» la plus incitative à l'immersion en sol étranger. En s'installant pour un bon bout de temps quelque part, il est inévitable d'infiltrer la vie communautaire locale. Et cela est encore plus vrai lorsqu'on le fait de façon autonome, c'est-à-dire en assumant soi-même sa subsistance, de l'approvisionnement en nourriture aux déplacements dans le quartier et au-delà.

S'il est vu sous cet angle, celui de l'immersion, le long séjour est donc ce qui peut arriver de mieux à un voyageur. Car, par définition, l'immersion interpelle plusieurs choses, notamment se mêler et se fondre à la population qui nous accueille, se rapprocher puis échanger avec elle, la comprendre pour la respecter et pour s'enrichir. Bref, une partance en mode idéaliste…

L'immersion non seulement apporte plusieurs points positifs, mais aussi facilite grandement plusieurs facteurs essentiels pour la réussite d'un long séjour: l'établissement des repères, la reconnaissance des lieux et des gens, l'apprentissage de ce qui sera notre nouvelle vie. Pour toutes ces raisons, l'immersion est un gage pour le bon démarrage et la viabilité du séjour, rendant ainsi le long séjour nettement plus amusant et passionnant.

Enfin, l'immersion, qu'elle soit complète ou fragmentée, est également un signe extérieur de rapprochement avec les habitants de l'endroit. L'immersion est une action volontaire qui place le «long-séjouriste» non seulement en mode de réceptivité et d'écoute passive, mais surtout en phase active avec son nouvel environnement.

Être ou ne pas être touriste?

Dans le domaine du voyage, l'étiquette est péjorative. Un «touriste» est souvent désigné comme un visiteur qui piétine, qui a de la difficulté à s'adapter, voire qui n'essaie même pas, qui est incapable aussi de se «caméléoniser»… Il ne fait que passer, avancer mais sans progresser, trépigner la terre sur son passage, arracher des images

Partager ses dons et ses passions

Vous êtes bricoleur, adepte de la broderie, musicien ou assez doué pour la magie? Pourquoi ne pas partager talent et passion avec votre nouveau voisinage au cours de votre long séjour? Votre immersion ne s'en portera que mieux. Et qui sait, peut-être vous présentera-t-on à votre homologue du quartier en la matière! Une rencontre qui peut-être débouchera sur une longue amitié ou sur un partenariat ponctuel…

Les chameaux aussi seront choqués!

L'aisance dans l'étalage de nos habitudes de vie, sous prétexte qu'on n'est pas du coin et que les accommodements raisonnables c'est pour tout le monde, n'est certainement pas une bonne idée si l'on veut favoriser les échanges et les bonnes relations avec la population locale. En monokini dans le Maghreb, même les chameaux seront choqués!

et des regards, prendre et donner peu. Il subit en grognant ses comparaisons qu'il a quittées récemment. Les vieux routiers du voyage le conseillent: Ne fais pas ton touriste!. Aujourd'hui, le «touriste» est même celui qu'on pointe du doigt et qu'on tient premier responsable de la mauvaise grippe qui s'acharne sur l'environnement malade de notre Terre…

 Le touriste peut choisir d'être entre le Robinson Crusoe de Daniel Defoe et le Phileas Fogg de Jules Verne: solitude ou rencontres excessives.

Est-ce vrai ou est-ce faux? Sans doute vrai en bonne partie. Mais laissons de côté l'étiquette péjorative et les idées reçues. De toute façon, on sera toujours le «touriste» de quelqu'un d'autre… Pour le plus touriste des touristes comme pour le plus explorateur des globe-trotters, voyager c'est être étranger. Même adepte de la sédentarité à destination, on est touriste. Plus encore: même si vous adoptez et endossez l'uniforme complet des habitudes de vie du pays hôte, c'est aux habitants de ce pays de déclarer si, oui ou non, vous êtes un bon ou un mauvais touriste (mais touriste quand même). Et parfois, on n'y peut absolument rien; dans les pays en voie de développement par exemple, le simple fait d'avoir la peau blanche est synonyme de richesse et de capitalisme excessif, donc de voyageur piétineur…

Cela dit, «l'attitude long séjour» doit idéalement s'inspirer du bon et du mauvais profil du touriste. Autrement dit, il faut à la fois être et ne pas être touriste!

 L'étranger a de gros yeux, mais ne voit pas. - proverbe africain

Il ne faut pas être touriste dans le sens irrespectueux et dérangeant du terme: évitez les signes extérieurs propres au «mauvais touriste»: voix haute, habillement n'ayant rien à voir avec celui de la place, comportement excessif et excentrique, irrespect des règles et des conventions établies, spécialiste de l'accommodement irraisonnable…

Il faut par contre être touriste dans le sens naïf du terme: soyez étonné de ce que vous voyez, exposez-vous à toutes sortes d'aventures, laissez-vous surprendre, admettez qu'«on vous mène en bateau» et vous vous remplirez sans doute les poches d'anecdotes, et découvrirez peut-être des gens et des lieux magnifiques. N'évitez pas les sites très touristiques sous prétexte de banalisation; ils sont devenus touristiques probablement pour une très bonne raison. «Faire le touriste», c'est aussi admettre que l'on a tout à apprendre. Ne pas présumer qu'on maîtrise tout, qu'on sait mieux et que séjourner en territoire inconnu n'a plus aucun secret pour nous. Faire le touriste, c'est aussi s'ouvrir, être réceptif à son nouvel environnement. Vêtu de son maillot de «long-séjouriste», le «long touriste» a même plusieurs responsabilités, dont celle d'user de sa réceptivité.

Et vous, quel touriste voulez-vous être?

 Le paysan prie qu'il pleuve, le voyageur qu'il fasse beau, et les dieux hésitent…
- proverbe chinois

S'installer dans son nouveau chez-soi: le repérage dans l'hébergement

Chambre au campus universitaire ou villa en bord de mer, le repérage dans sa «nouvelle seconde résidence de vacances» doit nous apprendre ce qu'on veut savoir:

· où sont les cachettes secrètes pour y camoufler passeport, chèques de voyage, ordonnances médicales ou autres documents importants qu'on ne traîne pas en tout temps sur soi?

· où sont les endroits secs, exempts d'humidité et sécuritaires pour y entreposer les médicaments et nos compagnons de voyage numériques et électroniques?

· quelles sont la superficie et l'efficacité des modes d'entreposage de la nourriture à notre disposition? Avant de faire les courses au marché, vérifiez ce que le réfrigérateur, le congélateur et les espaces de rangement de la cuisine ou cuisinette vous permettent d'emmagasiner et pour combien de temps (cela vous indiquera aussi la fréquence à laquelle vous devrez vous réapprovisionner);

 S'envoyer des colis

Repérez le bureau de poste le plus près. Lorsque vous effectuerez des achats de souvenirs, postez-les à une personne de confiance dans votre pays d'origine. De cette façon, vous allégerez vos bagages au moment des déplacements et du retour, et vous éliminerez – ou du moins vous diminuerez – les risques de vol des objets que vous affectionnez dans votre lieu d'hébergement.

Les caprices du numérique

Repérez assez vite le meilleur endroit où ranger et entreposer tout ce qui s'appelle appareil photo numérique, caméscope, ordinateur, lecteurs CD et DVD. On entend par meilleur endroit celui qui ne souffre pas d'écarts importants de température, celui qui est hermétique à l'humidité et celui qui est à l'abri de la clarté vive. Si vous craignez que les conditions de votre hébergement ne soient pas idéales, faites l'acquisition d'un sac hermétique de type camping ou pique-nique, ou encore expédiez-vous vos cartes et disquettes numériques remplies de souvenirs par la poste… si la poste est sûre, bien sûr…

- comment «respire» notre nouvelle demeure? Là, c'est le moment d'exprimer l'«ésotérique en vous»: oreillers côté nord ou côté sud, *feng shui* ou non *feng shui*, installer son «quartier général» côté cour ou côté jardin, etc.

S'installer dans son nouveau chez-soi: le repérage dans le quartier

Pour savoir où se trouvent les services auxquels vous devrez avoir recours, mais aussi pour mieux comprendre comment fonctionne la vie locale, le repérage dans le quartier où vous logerez pendant un certain temps est non seulement capital, mais devra se faire aussi dès les premiers jours suivant votre arrivée. Pourquoi? D'une part parce que vous devrez de toute façon savoir où vous approvisionner en nourriture ou autres produits de consommation courante, d'autre part pour éviter les mauvaises fréquentations et adopter dès le départ le bon comportement.

Les services à repérer vont du marché d'alimentation au marché public (informez-vous des lieux et des jours d'ouverture), de la buanderie à la clinique de santé et à la pharmacie (repérez celle de garde pour les nocturnes et les fins de semaine, où c'est spécialement le cas dans les territoires français). Les services à repérer vont aussi de la banque au distributeur de journaux, du transport en commun (autobus, train, taxi) et ses arrêts à la station-service la plus près, du café Internet à l'agence touristique ou encore du regroupement des expatriés au consulat ou à l'ambassade de votre pays de provenance.

On repère les services, mais aussi certains individus: le chef du quartier, le

Les cafés, ces incontournables

Particulièrement en Europe et dans le Maghreb, dans les villes comme dans les villages, les cafés, avec ou sans terrasse, sont les meilleurs endroits pour tout connaître des habitudes et des sujets à l'ordre du jour. À fréquenter et à refréquenter, à toute heure du jour, aux aurores comme à la tombée de la nuit.

Interpellez votre système D

Pas la peine de paniquer si, au premier coup d'œil, vous vous apercevez qu'il vous sera difficile, voire impossible, d'obtenir un service ou un bien de consommation courante (ou, du moins, de la façon dont vous voudriez les avoir). N'oubliez pas que c'est aussi cela, voyager. Interpellez alors votre système D: demandez conseil aux villageois ou faites publier une petite annonce dans le journal local. Vous dénicherez bien un moyen ou une alternative…

meilleur poissonnier et le boucher-vedette, celui qui est toujours prêt à aider, celle qui donne les bons tuyaux et celle qui comprend bien les réalités interculturelles (ses différences, ses facilités et ses difficultés), la personnalité du coin, le fou et le sage du village, le vendeur de rue aux meilleurs arrivages, le marchand trop cher et la commerçante avec qui l'on peut négocier, le voleur comme le pasteur.

On repère aussi les habitudes de vie dans la communauté: les horaires des gens de la place, leur tenue vestimentaire et les usages en matière de politesse, les loisirs et le travail qui les habitent, le trafic routier, les horaires du transport en commun, la routine des commerçants et des marchés (qui vous indiquera également notamment les meilleurs moments pour la fraîcheur des aliments).

On repère les habitudes des gens, mais on écoute aussi ce qu'ils disent: sur l'actualité internationale, sur nos dernières élections. Leurs idées sur les minorités… dont vous faites partie! On repère ce qu'ils disent, en mots mais aussi en gestes: les regards posés sur vous, la poignée de main absente ou le signe de tête fidèle… On repère finalement où se situe notre réputation, celle de notre personne et celle de notre drapeau national.

On repère également les endroits où voir et être vu: le bistro branché, la terrasse où tout se sait, la plage la plus ou la moins animée (selon ce qu'on veut).

Enfin, lorsque vous vous adonnez à votre repérage, quelques conseils:

Lu sur Internet…

Question: *Je souhaite passer quatre ou cinq mois à l'extérieur du Québec, de novembre ou décembre à mars ou avril. J'ai 500$ par mois comme budget… J'ai pensé au Brésil, au Mexique, à la Polynésie. Et vous, quel serait votre choix avec ce budget-là?*

Le *Guide Ulysse des longs séjours* vous répond: Avec ce montant-là, je choisirais l'Australie en kangourou, le Brésil, la Polynésie et le Mexique en hamac… Sérieusement, même si le budget est limité, il est toujours possible de «long-séjourner» dans un de ces pays si le cœur vous en dit… Si vous avez un talent de chanteur, conteur, peintre, sculpteur, maçon ou électricien, vous pouvez toujours les monnayer dans un resto, un commerce, une ambassade, un centre culturel… *Le guide du Job-trotter*, aux éditions Dakota, peut vous être utile.

- usez d'opportunisme mais de bonne foi;
- faites du journal local votre lecture de chevet;
- soyez curieux mais discret;
- soyez loyal envers ceux qui vous donneront un bon coup de main;
- soyez patient, car certaines choses ne se repèrent qu'au fil du temps...

Extirpez le comptable en vous

Tel un répartiteur hors pair, sachez jongler avec vos ressources et vous imposer une discipline, et ce, dès le premier jour: tel montant d'argent maximal par semaine ou par mois. Pas de débordements.

La fameuse «première impression»

On le disait plus tôt: le repérage dans le quartier sert aussi à comprendre comment fonctionne la vie locale. Plus vite vous serez au courant des interdits et des usages, des coutumes comme des conventions non écrites, plus vite vous éviterez de faire un faux pas. À votre arrivée, vous observez, mais retenez qu'on vous observe aussi. Et la première impression est souvent celle qui nous suit, du moins pendant un bon bout de temps. Si l'on a droit à l'erreur, les faux pas laissent tout de même, envers certains, un goût amer...

Emménager dans son quartier: quelques recettes gagnantes

L'immersion commence par la contemplation. La contemplation donne lieu à la compréhension. La compréhension permet ensuite la participation... Cette recette n'est certes pas nouvelle, mais elle constitue tout simplement un processus prudent qui mène à une fructueuse intégration.

Parmi d'autres recettes qui favoriseront une amorce sans anicroche de votre long séjour, voici quelques idées:

- initiez-vous à un aspect de la culture du pays: l'art, la musique ou encore un sport. Vous ferez de nouvelles connaissances et votre intégration ne s'en portera que mieux;
- sans nécessairement être armé d'une tarte aux pommes, allez tout de même vous présenter à vos voisins d'immeuble ou de quartier. Cela vous permettra du même coup d'identifier les personnes qui constituent votre voisinage et, qui sait, qui pourront peut-être un jour vous être d'un grand secours;
- usez et abusez de politesse;
- fouinez avec retenue;
- contemplez, mais ne participez que lorsqu'on vous y invite.

Attention: le choc culturel vous guette!

Comme on le mentionnait précédemment, l'immersion non seulement apporte plusieurs choses, mais aussi facilite grandement l'établissement des repères. Ces derniers sont d'une importance capitale parce qu'ils sont déterminants pour éviter le choc culturel au goût amer. «Ben voyons donc, le choc culturel, ce n'est pas pour moi! J'ai tellement voyagé avant!». Attention…

Partir à l'étranger pour deux semaines vs s'établir sous d'autres cieux pour 10 ou 15 semaines, étonnamment, la dynamique n'est pas la même. Les initiés vous le confirmeront: «Tout à coup, le monde semble prendre une autre dimension». Tout à coup aussi, on n'est plus visiteur mais étranger. Et soudain, à votre grande surprise, bien qu'attrayante, la destination où vous «long-séjournez» vous donne le cafard, et vous éprouvez de la difficulté à vous y adapter.... Vous voilà peut-être en situation de choc culturel. Mais souriez! Voici des trucs simples pour l'atténuer.

Gardez le contact avec vos proches

Entretenez un contact à distance avec votre famille et vos amis. Au début d'un long séjour surtout, avoir des nouvelles de chez soi et raconter à son tour ses expériences et ses difficultés apporte une certaine stabilité. Et la stabilité aide à s'habituer à vivre en tant qu'étranger et à s'adapter à son nouveau milieu.

Trottinez

On ne craint et redoute que ce qu'on ne connaît pas. Alors, familiarisez-vous avec votre nouvel environnement en vous promenant et en trottinant. Plongez dans l'histoire du pays, imprégnez-vous de la culture locale, visitez votre quartier mais aussi les autres régions du pays.

Apprenez la langue du pays

Peut-être pas facile par endroits, mais un gage de réussite. Apprendre la langue du pays, ou du moins des notions, c'est alléger son quotidien, se connecter avec son environnement. C'est aussi contribuer aux échanges avec la population.

Passez de «spectateur» à «acteur»

Participez à la vie locale, donnez-vous une mission, ayez un projet, initiez-vous à une particularité culturelle, artistique ou sportive de votre pays hôte. Ne faites plus que regarder le train; montez à bord!

Excitez vos cordes sensibles

Adonnez-vous à votre passe-temps favori et faites-en l'outil de rapprochement avec votre nouvel environnement.

Négociez avec jugement

Si le tourisme durable et responsable commence par «acheter local», il est faux de croire qu'il est admissible, auprès des résidants, d'appliquer là aussi des habitudes de grands consommateurs sans retenue. Ainsi, il est outrageux de négocier le prix d'une babiole à un vendeur pour qui les babioles sont fort probablement son seul moyen de subsistance. Ce n'est pas avec lui qu'il faut négocier, mais avec le grand marchand futé bien équipé qui croule sous sa marchandise et qui achète à prix de gros.

Développez des liens amicaux

En encourageant les rencontres et les échanges, on se sent plus fort parce qu'on n'est plus seul et parce qu'on connaît davantage son milieu. La destination devient nôtre, l'étranger hôte notre voisin, l'autrui notre ami.

L'Amérique du Nord

1. Cabo San Lucas - Los Cabos
2. Charlotteville
3. Death Valley National Park
4. Everglades National Park
5. Florida Keys
6. Fort Lauderdale
7. Fort Myers
8. Fort Royal
9. Guadalajara
10. Guanajuato
11. Lake Havasu
12. Los Angeles
13. Miami
14. Napa et Sonoma
15. Phoenix
16. Puerto Vallarta
17. San Diego
18. San Francisco
19. Santa Barbara
20. St. Petersburg
21. Tucson
22. Tulum
23. Virginia Beach
24. Williamsburg
25. Wytheville
26. Yosemite National Park

©ULYSSE

Les Amériques

Dans les trois Amériques, celle du Sud a l'Argentine, le Chili et le Brésil comme témoins des longs séjours. Ces trois pays accueillent des clientèles très différentes, qui vont des trentenaires aux plus de 60 ans. L'Amérique centrale, avec le Costa Rica et le Panamá, rivalise pour offrir des séjours en bord de mer ou près des parcs nationaux. Quant à l'Amérique du Nord, si la Floride, la Californie, l'Arizona et la Virginie sont les États qui reçoivent le plus de «long-séjouristes», il ne faut pas oublier une clientèle qui a choisi le véhicule récréatif pour visiter le plus possible de lieux pendant la période hivernale, d'est en ouest, avec en fin de parcours, pour les Canadiens, un retour par la route au Canada, d'ouest en est.... à moins qu'ils ne décident de mettre le cap sur le sud, pour se rendre à l'intérieur des terres ou en bord de mer au Mexique.

L'Amérique centrale et l'Amérique du Sud

OCÉAN ATLANTIQUE

OCÉAN PACIFIQUE

OCÉAN ATLANTIQUE

MEXIQUE
BELIZE
Belmopan
GUATEMALA
Ciudad de Guatemala
HONDURAS
Tegucigalpa
EL SALVADOR
San Salvador
NICARAGUA
Managua
14
COSTA RICA
5 3
San José
4
11 Ciudad de Panamá
PANAMÁ
VENEZUELA
Caracas
GUYANA
SURINAME
Georgetown
GUYANE
Paramaribo
Cayenne
Bogotá
COLOMBIE
Quito
ÉQUATEUR
PÉROU
Lima
BRÉSIL
13
Brasília
La Paz
BOLIVIE
2
1 12
CHILI
PARAGUAY
Asunción
9
7
17
16
Santiago
8
ARGENTINE
URUGUAY
Montevideo
Buenos Aires
6
10
15

©ULYSSE

1. Barra da Tijuca
2. Búzios
3. Cahuita
4. Comarca de San Blas
5. Jacó
6. La Plata
7. La Serena
8. Mendoza
9. Parque Nacional Iguazú
10. Parque Nacional Torres del Paine
11. Punta Chame
12. Rio de Janeiro
13. Salvador da Bahia
14. Tamarindo
15. Ushuaïa
16. Valparaíso
17. Viña del Mar

Argentine

 Là où se portent les yeux la main se tend.
- proverbe argentin

■ Le long séjour à l'argentine...

C'est surtout du côté de Buenos Aires et particulièrement à La Plata que des longs séjours sont effectués. Les amateurs de vins et de hauteurs vont du côté de Mendoza. Certains, pour étirer le temps, descendent jusqu'à Ushuaïa pour couronner un séjour dont les attraits vont du tango aux nuits étoilées. Selon le budget et le temps dont on dispose, il est bon de savoir que l'Argentine est desservie par un réseau d'autocars couvrant le pays tout entier. Les autocars sont en général sûrs et confortables et le service à bord hors pair: repas chauds, vin, etc. Les moyens de locomotion sont peu coûteux et très nombreux, les taxis en particulier. Voyager en autocar peut représenter une économie de 80% par rapport au tarif aérien exigé pour un trajet équivalent.

■ L'hébergement long séjour

Pour obtenir des renseignements sur les appartements à Buenos Aires et ailleurs, un guichet pratique: Equinoxe. Cette agence est dirigée par un jeune Français entouré d'une équipe très efficace et dynamique. On y propose toutes sortes de services à un bon rapport qualité/prix. Equinoxe est située au 384 Callao (angle Corrientes), 3ᵉ étage, bureau 8, à Buenos Aires (☎*43715050*, ▤*43726312, www.equinoxe.com.ar*). On peut aussi communiquer en français avec Lisa Denis du Service Réceptif Français, par courriel à *ldenis@equinoxe.com.ar* ou via l'adresse courriel générale de l'agence à *contact@equinoxe.com.ar*.

Pour naviguer sur un site Internet traitant des hôtels à Buenos Aires: *www.buenos. aires.hotelguide.net*.

«Cochez oui, cochez non» ✓

Les tentants...
> le bas coût de la vie;
> la gentillesse des habitants;
> l'amour de la musique et du tango;
> une gastronomie variée, surtout pour ceux qui aiment la viande.

Les irritants...
> les risques de débordement dans les grands rassemblements publics d'ordre politique ou social;
> les risques de vol sur les plages.

■ On retient l'attention sur...

· la route n° 7, qui va de Buenos Aires jusqu'à Santiago du Chili via Mendoza: une des plus belles du monde. Sur cette route des Andes, les paysages sont somptueux;

· Mendoza: ville de vignobles située non loin du mont Aconcagua, le plus haut sommet des Amériques (6 959 m), et du Puente del Inca.

■ Où se renseigner et carnet de contacts

Argentina Government Tourist Office
12 West 56th Street
New York, NY USA 10019
☎ 212-603-0443 ou 866-369-8046
🗐 212-586-1776
www.argentinadiscover.com
info@turismo.gov.ar

Office du Tourisme Argentin
6 rue Cimorosa
75116 Paris
☎ 01 47 27 15 11
🗐 01 47 04 61 51

Sur Internet

- *www.turismo.gov.ar*
- *www.liveargentina.com*
- *www.parquesnacionales.gov.ar*

- *www.mendoza.com*
- *www.mt-aconcagua.com*
- *www.iguazuargentina.com* (les célèbres chutes)
- *www.bariloche.com.ar* (région des lacs avec le fameux lac Nahuel Huapi et San Carlos de Bariloche)
- *www.buenosaires.com*
- *www.buenosairestango.com*
- *www.consargenmtl.com/infofr.btm*
- *www.aerolineas.com.ar*
- *www.plataforma10.com* (tarifs des autocars)
- *www.planeta.com* (écotourisme pratique en Amérique latine)

Arizona (États-Unis)

■ Le long séjour à l'arizonienne...

Les longs séjours se font principalement à Tucson et ses environs. Les villes de Mesa, Phoenix, Scottsdale et Green Valley sont également des points de chute. On y vient pour se ressourcer, pour faire de l'équitation, pour pratiquer le golf en bordure du désert et pour jouir d'un climat très sec. Depuis quelques années, on se retrouve du côté de la ville de Lake Havasu pour profiter des territoires de pêche et pour y faire de l'escalade et du camping, tout cela aux portes du désert. On s'adonne également au tourisme de santé, proposé par certains hôtels, avec spa et cures de remise en forme. L'Arizona, c'est bien entendu les canyons – et le Grand Canyon – où l'on pratique le tourisme de silence ou de méditation, à pied ou à dos de cheval ou d'âne. On y fait le vide pour mieux faire le plein...

L'Arizona, c'est aussi la montgolfière, le rafting sur la rivière Colorado, les tours d'hélicoptère, les randonnées en 4x4, la passion des sports (les Diamondbacks et les Cardinals d'Arizona, les Coyotes et les Suns de Phoenix), tous de parfaits prétextes pour les «long-séjouristes». Les plus curieux se lanceront à l'assaut des coutumes amérindiennes et de l'artisanat autochtone présent partout dans l'État.

Il y a des choses qu'on ne ferait pas dans une église ou dans une synagogue. On ne doit pas les faire non plus dans un désert. - Théodore Monod

■ L'hébergement long séjour

En Arizona, les établissements d'hébergement par excellence sont les *dude ranches*. Au menu: décor du Far West, chevaux, steak, cravate de cowboy et poussière. La majorité de l'offre se concentre autour de Tucson.

Plusieurs de ces ranchs permettent à leurs visiteurs de participer aux tâches quotidiennes, de l'entretien des chevaux à celui des étables. Les plus permissifs vous inviteront à diriger un troupeau de bétails du haut d'un cheval sympathique. Information: l'association des *dude ranches* en Arizona *(www.azdra.com)*.

Les gîtes et refuges de montagne sont également des options à considérer pour tout un séjour ou pour les grandes escapades dans la nature. Aussi, dans les villes, on voit également de plus en plus d'hôtels convertir leurs chambres – au total ou en partie – en unités avec cuisinette.

■ On retient l'attention sur...

- de mai à août, c'est la saison de la mousson d'été;
- qui dit Arizona dit désert, donc variantes importantes des températures entre le jour et la nuit. Aussi, les variantes sont notables selon qu'on «long-séjourne» dans les montagnes ou dans le désert, dans le nord ou dans le sud de l'État;
- spécialement dans les zones désertiques, l'air y est très sec. Il ne faut donc pas sous-estimer l'approvisionnement en eau et en crème solaire;
- les parcours de golf ont la cote presque partout dans l'État;
- la gastronomie est hautement inspirée des saveurs du voisin du sud, le Mexique. Fait nouveau: l'apparition de spécialités amérindiennes à la mode «nouvelle cuisine» et de mets concoctés à partir des plantes indigènes locales dont le célèbre cactus saguaro.

«*Cochez oui, cochez non*»

Les tentants...
> la proximité de la frontière mexicaine;
> les canyons, avec leur vue à couper le souffle et leurs nombreux sentiers;
> la vie à la mode du Far West.

Les irritants...
> un régionalisme exagéré;
> les coûts élevés pour bon nombre d'activités phares.

■ Où se renseigner et carnet de contacts

Arizona Office of Tourism
55 Town Centre Court, Suite 642
Toronto, ON M1P 4X4
☎ 866-275-5845
🖷 416-861-1108
www.arizonaguide.com
azinfo@travelmarketingexperts.com

Office de Tourisme des États-Unis
2 avenue Gabriel
75008 Paris
☎ 01 42 60 57 15
www.office-tourisme-usa.com/tourisme-arizona2.php
www.office-tourisme-usa.com/formalites-etats-unis.php
(formalités)

Sur Internet

- *www.arizonaguide.com* (hébergement)
- *www.golakehavasu.com* (Lake Havasu City)
- *www.arizonaheritagetraveler.org* (anciennes civilisations et l'aventure du Far West)
- *www.visitmesa.com*
- *www.visityuma.com*
- *www.visitphoenix.com*
- *www.scottsdalecvb.com*
- *www.visittucson.org*

Brésil

 Il n'y a pas un mais des millions de Brésil. - Salvador Dalí

■ Le long séjour à la brésilienne...

Les longs séjours se font du côté de Salvador da Bahia et de Búzios, Rio de Janeiro étant une ville trop chère pour y dénicher de l'hébergement bon marché sur une longue période. On trouve pourtant, au sud de Rio de Janeiro, une clientèle qui fait dans le long séjour et dans la chirurgie esthétique dans des cliniques spécialisées à Barra da Tijuca.

«Cochez oui, cochez non» ✓

Les tentants...
> le sens du rythme;
> la facilité à faire des rencontres.

Les irritants...
> la rivalité entre certains quartiers;
> l'omniprésence de la drague, tous sexes confondus.

Salvador da Bahia vaut le détour pour son ambiance, ses églises et le quartier du Pelourinho. Chaque jour, il y a une fête, une messe, un défilé, un prétexte... La Salvador da Bahia historique est facile à visiter à pied. Moins connu que celui de Rio de Janeiro, le carnaval de Salvador da Bahia est tout de même une fête plus authentique.

Quant à Búzios, son surnom a longtemps été le «Saint-Tropez du Brésil». Il inclut la ville d'Armação de Búzios, des douzaines de plages et plusieurs îles entourant la péninsule. Il y a une grande quantité de petites îles rocheuses, tout à fait attrayantes pour pratiquer la plongée sous-marine ou la plongée libre. Il existe quelques longues et vastes plages autour de la péninsule. Geribá, João, Fernandes et Ferradura sont les plus fameuses. Pour les amants de la nature, on retrouve une multitude de petites plages isolées sans infrastructure, paisibles et calmes. Parmi elles, Azeda, Azedinha et Brava… pour le surf et aussi pour le naturisme.

Vivre au Brésil avec un petit budget est possible, mais nécessite de choisir le mode sac à dos et local. D'une manière générale, le coût de la vie est de 25 à 30% moins élevé qu'au Canada et en l'Europe de l'Ouest. Enfin, le marchandage est de mise dans les marchés et dans les taxis sans compteur.

■ L'hébergement long séjour

Habituez-vous à marchander le prix des chambres d'hôtel. «Qui ne pleure pas ne tète pas» dit un dicton brésilien. Les réductions sont accordées pour un paiement en espèces ou pour des séjours en basse saison. Vous pouvez aussi faire baisser les prix si vous ne souhaitez ni télé, ni salle de bain, ni climatisation, ou si vous restez plusieurs jours.

Voici plusieurs adresses où magasiner et dénicher de l'hébergement long séjour:

- pour des appartements à Búzios, Rio de Janeiro et Salvador da Bahia: *www.apartmentsholiday.com*
- hôtels et appartements à travers le pays: *www.aobrasil.com*

■ On retient l'attention sur…

- dans le domaine de la santé, on note des risques de dengue, paludisme, méningite, rage et fièvre jaune;
- les itinéraires à destinations multiples. Pour les voyageurs en provenance d'autres destinations comme la Guyane, la Bolivie, la Colombie, l'Équateur, le Pérou et le Venezuela, l'entrée au Brésil est désormais soumise à l'obligation de vaccination contre la fièvre jaune. L'original du certificat de vaccination est nécessaire.

■ Où se renseigner et carnet de contacts

Brazilian Tourism Office
2141 Wisconsin Avenue NW, Suite E-2
Washington DC, 20007
☎ 800-727-2945
www.braziltourism.org
visitbrazil@braziltourism.org

Office du Tourisme Brésilien
A/S Ambassade du Brésil 34, cours Albert 1er
75008 Paris
☎ 01 45 61 63 00
▤ 01 42 89 03 45
www.office-de-tourisme.org/bresil.htm

Sur Internet

- *www.itapemirim.com.br* et *www.autoviacao1001.com.br* (autocars parcourant le Brésil au départ de São Paulo et de Rio de Janeiro)
- *www.bahia-online.net*
- *www.bresil.org* (programmes culturels et festivals au Brésil)
- *www.braziltour.com*
- *www.brasilcontact.com*

Californie (États-Unis)

La puissance de l'imagination nous rend infinis. - John Muir

■ Le long séjour à la californienne...

Les longs séjours en Californie peuvent être très urbains ou «très plages». Dans la zone urbaine, du côté de San Francisco, on déniche des appartements qu'on paie à la semaine ou au mois. Pour Los Angeles, c'est plus difficile avec des motels qui font quelquefois des rabais pour les longs séjours, mais il faut faire attention au quartier. La ville de San Diego est également dans les plans de certains «long-séjouristes». Au nord de San Francisco, les régions de Napa Valley et de Sonoma Valley sont des endroits à visiter pour la fameuse route des vins, mais il n'est pas facile d'y séjourner sur une longue période en raison des prix pratiqués par les *bed and breakfasts* et les hôtels de ces régions.

Pour la plage, on se dirige vers Santa Barbara, Santa Monica et Venice. On trouve souvent de l'hébergement long séjour qu'on peut négocier dans les motels en hors saison estivale, comme les chaînes Motel 6 et Econolodge, qui ont quelques établissements avec chambres équipées de cuisinette.

Urbain ou plage ou les deux, «long-séjourner» en Californie, c'est faire le plein d'images déjà vues au cinéma et s'en donner à cœur joie en extériorisant ses personnalités camouflées dans un lieu où presque tout a déjà été vu...

Enfin, la clientèle long séjour en est aussi une qui fréquente les parcs nationaux, comme le Yosemite National Park, où l'on trouve plus d'une douzaine de terrains de camping, histoire de faire une pause de quelques jours. Grand Canyon, Death Valley, Yellowstone, Zion, Brice Canyon et Grand Teton sont quelques parcs nationaux

«Cochez oui, cochez non»

Les tentants...
> l'impression que la vie est sans souci en bord de mer, une gastronomie et des vins qui se distinguent;
> un réseau routier pratique qui facilite grandement les déplacements pour les non-résidants;
> la richesse des parcs nationaux et une culture vivante dans des villes comme San Francisco.

Les irritants...
> une vie artificielle qui peut chatouiller à long terme;
> le sens de la démesure (qui peut toutefois être drôle si l'on a le sens de la dérision);
> les quartiers dangereux de Los Angeles.

des États limitrophes qui sont très fréquentés par les visiteurs qui «long-séjournent» en Californie. On peut se procurer des laissez-passer qui donnent droit à des accès illimités aux parcs nationaux pendant une période d'un an. Des laissez-passer *Senior* sont également proposés à tarif réduit.

En matière de déplacements, le transport ferroviaire d'Amtrak et les autocars Greyhound et affiliés sont des moyens à considérer pour circuler à l'intérieur de l'État et au-delà.

■ L'hébergement long séjour

L'hébergement long séjour en Californie se compose donc d'appartements en location et d'unités en motel équipées de cuisinette. Mais on peut également trouver des résidences hôtelières et, bien entendu, des villas de rêve pour les bourses bien garnies. Autre possibilité: la location de véhicules récréatifs (VR) ou d'un terrain accessible pour son propre VR. Voici quelques références pour l'hébergement long séjour:

San Francisco et ses environs

- Vantaggio Suites et Vantaggio Suites Cosmo (suites hôtelières à San Diego et à San Francisco): *www.vantaggiosuites.com*
- Kenmore Residence Club: *www.kenmorehotel.us*
- Monroe Residence Club: *www.monroeresidenceclub.com*
- campings et parc de Yosemite: *www.nps.gov/yose*
- location de VR aux États-Unis (un bureau également au Québec): *www.cruiseamerica.com*

Los Angeles et ses environs

- terrains de camping privés: *www.koa.com*
- chaîne Motel 6: *www.motel6.com*
- réservations d'hébergement dans les parcs: *www.nps.gov*
- établissements d'hébergement deux étoiles à Santa Monica qui pratiquent le long séjour: *www.naplesnet.com*

■ On retient l'attention sur...

- la différence de mentalité qui existe entre les clientèles des stations balnéaires;
- il faut ajouter le plus souvent des taxes de 10 à 15% sur les prix affichés de l'hébergement;
- les comportements sains en matière d'environnement et de pollution que les Californiens adoptent depuis quelques années;
- ne jamais laisser d'objets de valeur dans une chambre de motel bon marché, et ce, même l'espace de quelques minutes.

■ Où se renseigner et carnet de contacts

Office de Tourisme des États-Unis
2 avenue Gabriel
75008 Paris
☎ 01 42 60 57 15
www.office-tourisme-usa.com/tourisme-californie2.php
www.office-tourisme-usa.com/formalites-etats-unis.php

Sur Internet

· *www.visitcalifornia.com*

· *www.usatourist.com*
· *www.sandiego.org*
· *www.greyhound.com* (forfaits Discovery Pass pour tous les États-Unis)
· *www.amtrakcalifornia.com* (forfaits et *pass* de train)
· *www.nps.gov* (parcs nationaux)

Chili

 *Change de ciel, tu changeras d'étoiles.* - proverbe chilien

■ Le long séjour à la chilienne...

La réévaluation du peso chilien et l'inflation dans le secteur touristique ont fortement augmenté, ces dernières années, le coût du séjour pour les visiteurs étrangers. Aujourd'hui, on ne peut plus considérer le Chili comme une destination bon marché.

La grande diversité géographique du Chili permet d'envisager un séjour à n'importe quelle saison. Santiago et le centre du pays offrent des conditions optimales au printemps (septembre-novembre) avec des paysages verdoyants, ou en automne (fin février-avril). En revanche, l'été (décembre-mars) convient mieux à la visite des sites naturels comme le Parque Nacional Torres del Paine, la région de Magallanes ou la région des lacs.

Les stations de ski chiliennes attirent de nombreux touristes pendant l'été de l'hémisphère Nord (juin-août). En dehors de la période estivale, l'île de Pâques connaît des températures plus fraîches, des tarifs légèrement inférieurs et beaucoup moins d'affluence. De même pour l'Archipiélago Juan Fernández, parfois inaccessible en hiver lorsque la pluie détrempe la piste d'atterrissage en terre battue de l'aéroport. En conséquence, optez plutôt pour le mois de mars.

En rafale, on retient de **Valparaíso** qu'elle est la ville la plus pittoresque du Chili et le premier port du pays. Son centre est sillonné de rues pavées et dominé par des falaises à pic. On accède aux faubourgs situés sur les hauteurs par des funiculaires et de nombreux escaliers. Les musées d'histoire naturelle, des beaux-arts et de la marine méritent une visite. Le Muelle Prat, une jetée nouvellement réaménagée, accueille un marché d'artisanat intéressant.

Dix kilomètres plus loin, **Viña del Mar** constitue une élégante station balnéaire dotée d'une végétation subtropicale qui lui vaut l'appellation de «ville-jardin». La station balnéaire concurrente, **La Serena**, située plus au nord, se «long-séjourne» pour sa physionomie coloniale, ses plages superbes, ses musées et ses alentours, parsemés de villages pittoresques et de vignobles.

Quant au **Parque Nacional de Puyehue**, il est un passage obligé pour ses forêts, ses paysages volcaniques grandioses, ses sentiers de randonnée, ses lacs, ses sources thermales, ses stations de ski et ses chutes.

■ L'hébergement long séjour

Les petits budgets s'en tireront car les établissements d'hébergement modestes, la nourriture de base et les transports demeurent malgré tout en deçà des prix pratiqués en Europe, en Amérique du Nord et même en Argentine.

La location d'appartements n'est certes pas impossible. Il faut juste bien fouiller. Voici quelques pistes:

· location de meublés à Valparaíso et ailleurs au Chili: *www.arkadia.com*
· location d'appartements au Chili: *www.homelidays.com*
· appart-hôtels à Santiago: *www.expat-magazine.com*
· logements long séjour à Viña del Mar: *http://lepetitprince-vina.blogspot.com*

■ On retient l'attention sur...

· la vaccination contre le choléra, qui est recommandée pour les longs séjours;
· le réseau routier satisfaisant: routes bien asphaltées et pistes en bon état. Évitez toutefois de quitter les grands axes avec un véhicule de tourisme standard et emportez des réserves de carburant lors de longs trajets (distance importante entre les stations-service)
· un réseau très dense et efficace d'autocars sur l'ensemble du territoire;
· au restaurant, l'usage veut que le client laisse un pourboire d'environ 10%. En règle générale, sachez que les serveurs ne reçoivent qu'un maigre salaire et comptent sur votre générosité;
· les tarifs des autocars longue distance et des taxis collectifs se négocient;
· le marchandage a cours dans les marchés d'artisanat et dans les hôtels en basse saison ou en cas de long séjour;
· incontestablement plus sûrs que l'argent liquide, les chèques de voyage s'avèrent toutefois difficiles à encaisser dans les petites localités hors des sentiers battus. Il est donc conseillé d'emporter en plus des espèces sonnantes et trébuchantes. Seuls les distributeurs automatiques des grandes villes vous permettront d'en retirer. Les cartes de crédit sont largement acceptées.

«Cochez oui, cochez non» ✓

Les tentants...
> les différences de paysages sur tout le territoire;
> la qualité des vins;
> la bonhomie générale de la population.

Les irritants...
> les vols à la tire dans les grandes villes;
> des plages peu exploitables sur le plan balnéaire;
> les manifestations à caractère politique et social.

■ Où se renseigner et carnet de contacts

Office du tourisme du Chili
A/S Consulat du Chili
1010 rue Sherbrooke Ouest, bureau 710
Montréal, QC H3A 2R7
☎ 514-499-9221
▤ 514-499-8914
www.chile.com
www.visitchile.com

Office du tourisme du Chili
A/S Consulat du Chili
64 boulevard de la Tour Maubourg
75007 Paris
☎ 01 47 05 46 61
▤ 01 45 51 16 27
www.amb-chili.fr

Sur Internet

- *www.visit-chile.org*
- *www.esl.ch* (séjours linguistiques à Santiago)
- *www.ereduvoyage.ch/Voyages_solo/fr_solo_chili.html* (voyages sur mesure au Chili)

Costa Rica

*On peut acheter un lit,
mais pas des rêves.*
- proverbe costaricien

■ Le long séjour à la costaricienne...

Le Costa Rica est synonyme de forêts tropicales, d'animaux exotiques, de volcans, de plages, de randonnées pédestres, de balades en 4x4, et de couchers de soleil qui imposent le silence.

On passe de la plage au volcan en un rien de temps, on entend les grondements de l'Arenal, on se perd dans les petits chemins de terre, on sirote un cocktail sur un rocher face à la mer. Autrement dit, ce qui fait du Costa Rica une destination long séjour privilégiée, c'est la multiplicité des attraits et activités à de courtes distances les uns des autres. Contemplateur, à vos marques, observez...

■ L'hébergement long séjour

Les longs séjours se font du côté de Playa Jacó et au sud de ce village, en hôtels et en appartements. On trouve également une clientèle long séjour au nord, dans l'État de Guanacaste, dans et autour du village de Tamarindo, en gîtes et en copropriétés locatives. Ce sont là des retraités et des surfeurs qui se côtoient dans le village avec la reproduction des tortues en janvier comme attrait principal.

La clientèle qui aime un peu plus la solitude se retrouve en bungalows sur la côte Caraïbe, aux alentours de Cahuita. Le bémol: c'est aussi une partie du pays où transitent des drogues.

À Cahuita donc, les Villas Exoticas *(☎ 506-755-0055, ▤ 506-755-0082, exotica@sol.racsa. co.cr)* sont à louer: deux maisons situées dans une petite jungle et qui peuvent accueillir quatre personnes (cuisine équipée, réfrigérateur et salle de bain).

Pas très loin de Cahuita, l'Aviarios del Caribe Lodge *(☎ 506-382-1335)* est à la fois un *bed and breakfast* et un Wildlife Sanctuary of the Carribean Coast, soit un refuge faunique dont la mission est la protection des paresseux.

La ville de Fortuna, située au pied du volcan Arenal, abrite le site d'Alberque la Catarata (☎*506-479-9612*, 🖹*506-479-9522*): petits bungalows avec confort basique face au volcan.

Hôtel Montana de Fuego (☎*506-460-1220*, 🖹*506-460-1455*): bungalows avec ventilateur et salle de bain complète.

Du côté de Tamarindo, La Palapa (☎/🖹 *506-653-0362*, *www.visittamarindo.com/ lapalapa/index.html* ou *http://lapalapa.info*): directement sur la plage, trois bungalows avec terrasse privée, admirablement décorés. Couchers et levers de soleil et iguanes compris.

Au sud de Playa Jacó, sur la plage de Palo Seco, le Beso del Viento (☎*506-779-9674*, 🖹*506-770-9675, www.besodelviento.com*): appartements dans le jardin, avec cuisinette, face à la piscine et à la mer. Rabais hors saison et pour séjours prolongés. Pour les amoureux du silence.

«Cochez oui, cochez non» ✓

Les tentants…
> tout l'aspect nature de la destination;
> la variété des activités de plein air.

Les irritants…
> l'état de certaines routes secondaires, totalement défoncées;
> les autocars de touristes de plus en plus nombreux sur des sites protégés.

De petits établissements à Playa Jacó (Hotel Colibri, La Cometa) ou des appartements standards (Aparthotel Gaviotas et Flamboyant) et quelques *bed and breakfasts* du côté de Parrita (environ 30 km au sud de Playa Jacó).

Autres pistes:

· location de villas à Tamarindo et au Costa Rica: *www.tamarindobeach.net* et *www. villascostarica.com*
· location de copropriétés bonne gamme à Tamarindo: *www.vrbo.com/90447*
· maisons à louer au Costa Rica: *www.govisitcostarica.co.cr/category/hotels/housesForRent. asp*

■ On retient l'attention sur…

· tous les parcs nationaux ont des droits d'entrée, qui sont quelquefois très élevés;
· vu l'état des routes, il est conseillé de louer un véhicule 4x4, mais là aussi les tarifs sont élevés, quoiqu'on puisse obtenir des rabais pour plus de trois semaines de location;
· pour vous faire une idée de la qualité des plages et des eaux du Costa Rica avec label Blue Flag (plages qui participent au programme de sensibilisation et de protection écologique des coraux et des eaux): *www.visitcostarica.com/ict/paginas/ mapas/areasurf.asp*;
· avis aux personnes non sensibles à la nature et ses composantes: le Costa Rica n'est pas pour vous.

■ Où se renseigner et carnet de contacts

Consulat général du Costa Rica à Montréal
1425 boul. René-Lévesque Ouest, bureau 602
Montréal, QC H3G 1T7
☎ 514-393-1057
🖶 514-393-1624
www.consulateofcostarica.org
costarica@bellnet.ca

Instituto Costarricense de Turismo
☎ 866-267-8274 (Canada-USA)
🖶 506-223-5452
www.visitcostarica.com
www.govisitcostarica.com

Pour louer un véhicule: **Zuma Rent A Car** (☎ *506-643-3207*, 🖶 *506-643-3207*).

Floride (États-Unis)

Si les gens n'abusaient pas de leur pouvoir, il n'y aurait pas de guerre, de crime, d'enfant violenté… et on ne traiterait pas si mal sa secrétaire.
- Patricia Cornwell

■ Le long séjour à la floridienne…

Depuis longtemps, la Floride est synonyme de long séjour: Ernest Hemingway et Tennessee Williams en témoignèrent dans leurs écrits. Longtemps aussi, certaines zones de la Floride ont eu cette réputation de *fast-food*, avec marchés aux puces, grandes surfaces de babioles et motels avec tapis vert imitation gazon à la clé.

Mais aujourd'hui, son visage change. Si l'on retrouve toujours une clientèle touristique familiale et «long-séjouriste» du troisième âge, des immeubles en copropriété flambant neufs, voir très «design», ont pris la place des motels.

On trouve également toujours une clientèle francophone dans les environs d'Hallendale, d'Hollywood Beach et de Fort Lauderdale, avec des dépanneurs où l'on déniche le *Journal de Montréal* et *La Presse* du Québec chaque matin. Aussi existe-t-il des services bancaires et médicaux utilisant le français couramment dans ce coin de pays. Cela déborde également vers le sud et Miami Beach, du côté de Bal Harbour pour les mieux nantis.

À bâbord et à tribord de la Floride, les musées, salles de concerts, salles de cinéma et théâtres, tous de haut niveau, rendent les longs séjours très intéressants. Se développe également un tourisme de nature du côté des Everglades.

Sur la côte ouest, de St. Petersburg à Fort Myers et Napless en passant par Sarasota et Longboat Key, on retrouve une douceur de vivre et une autre manière d'aborder la plage.

■ L'hébergement long séjour

Pour les biens nantis, Fort Lauderdale est revenue à la mode, avec ses hôtels luxueux et ses copropriétés très bien gardées. On trouve également une clientèle gay de long séjour et de tous les âges du côté des Keys (avec de nombreuses *guest houses* et des appartements en copropriété) et on essaie de plus en plus la côte ouest de la Floride, avec des copropriétés sur une bande de terre qui va de St. Petersburg à Fort Myers.

Certains optent également pour des terrains de camping où VR, maisons mobiles et bungalows forment de véritables villages.

D'autres font à la fois un séjour sur terre et la location d'un bateau afin de caboter sur la côte est au départ des Keys. À la Marina de Coral Bay, on déniche des bateaux (10 m sur 3,5 m) tout équipés chez Coral Bay Houseboat Rentals (*☎305-664-3111*).

Autres pistes:

Sur la côte Ouest:

- Tivoli Vacation Rentals, location d'appartements à Sarasota: *www.tivolivacation.com*
- Hôtel Helmsley Sandcastle: *www.helmsleyhotel.com*
- Colony Beach Resort, appartements d'une ou deux chambres avec cuisinette directement sur la plage, pour les mordus de tennis: *www.colonybeachresort.com*
- Siam Garden Resort, copropriétés avec cachet asiatique sur Anna Maria Island: *www.siamgardenresort.com*
- Gulf Breeze Cottages à Sanibel, chambres dans une maison victorienne ou cottages: *www.gbreeze.com*
- Waterside Inn on the Beach à Sanibel, appartements et cottages: *www.watersideinn.net*
- Siesta Key Bungalows: *www.siestakeybungalows.com*

Pour les Keys:

- The Mermaid and the Alligator Guest House (pour couples): *www.kwmermaid.com*
- Kona Kai Resort Cottages (pour plongeurs): *www.konakairesort.com*
- Light House Court (un des piliers gays de l'hébergement local): *www.lighthousecourt.com*
- Blue Parrot Inn (*guest house*; interdite aux enfants): *www.blueparrotinn.com*

■ On retient l'attention sur…

- les parcs de nature, les musées et tout ce qui ne vient pas systématiquement à l'esprit quand on évoque cette destination;
- la vie nocturne de South Miami, qui propose des discothèques pour tous les goûts ainsi que des restaurants de haut calibre;
- un concentré étonnant de parcs thématiques pour les familles avec de jeunes enfants.

«Cochez oui, cochez non» ✓

Les tentants…

- > un climat doux en hiver;
- > des possibilités aussi bien urbaines que maritimes;
- > un accès à la culture de grande tenue;
- > le magasinage pour tous les goûts et tous les budgets.

Les irritants…

- > des violences perpétrées le soir dans certains stationnements;
- > le vol à la tire;
- > une mer quelquefois dangereuse;
- > des «bunkers francophones» un peu vieillots.

■ Où se renseigner et carnet de contacts

Visit Florida
5409 Eglinton Avenue West, Suite 107
Toronto, ON M9C 5K6
☎416-485-2573 ou 800 268-3791
✆416-485-8256
www.visitflorida.com

Office de Tourisme des États-Unis
2 avenue Gabriel
75008 Paris
☎01 42 60 57 15
www.office-tourisme-usa.com/tourisme-floride2.php
www.office-tourisme-usa.com/formalites-etats-unis.php
(formalités)

Sur Internet

· *www.trainweb.org/amtrakflorida*
· *www.floridacamping.com*

· *www.floridastateparks.org* (tout sur les parcs de l'État)
· *www.flamuseums.org* (tout sur les musées et expositions)
· *www.nps.gov* (parcs nationaux comme celui des Everglades)
· *www.flheritage.com* (activités culturelles)
· *www.gay-guide.com* et *www.funmaps.com* (information pour gays et lesbiennes)
· pour Fort Myers et Sanibel: ☎*800-237-6444, www.fortmyers-sanibel.com*
· pour le Grand Miami: ☎*800-933-8448, www.miamiandbeaches.com*
· pour les Florida Keys et Key West: ☎*800-FLA-KEYS, www.fla-keys.com*

Mexique

 C'est en voyageant que le monde s'instruit.
- proverbe mexicain

■ Le long séjour à la mexicaine...

Les longs séjours au Mexique se dégustent à l'intérieur du pays. Les régions privilégiées sont celle de Cuernavaca, au sud-ouest de México, celle de San Miguel de Allende, près de Guanajuato, et la rive nord du lac Chapala, qui se trouve à une demi-heure au sud de Guadalajara. Pour la baignade, il y a de beaux petits étangs remplis d'eaux thermales aux alentours de San Miguel en direction de San Luis Potosí.

Dans ces régions, les excursions sont nombreuses, et on s'y installe également pour parfaire l'usage de la langue espagnole et pour assister à de nombreux festivals (du livre et de marionnettes) et à de nombreuses représentations théâtrales.

Pour des séjours balnéaires, c'est à partir de Playa del Carmen que l'appellation contrôlée «Riviera Maya» prend pied, s'étendant de Puerto Morelos jusqu'au sud, à Tulum. Donc pas trop difficile de s'y retrouver pour essayer de choisir une plage qui n'a pas été encore assaillie par un «tout-compris» glouton. Pour des séjours uniquement balnéaires, cette région et celle de Puerto Vallarta sont favorables. Enfin, autre région maritime pour les longs séjours, la Baja California (Basse-Californie) est surtout prisée par une clientèle de pêche au gros et de surfeurs.

■ L'hébergement long séjour

À l'intérieur du pays, on trouve des appartements, des villas et des bungalows à des prix raisonnables. Deux adresses: *www.vrbo.com/vacation-rentals/mexico* et *www.homeaway.*

com. Autre bonne adresse pour de l'hébergement rural en *hacienda* au Mexique: *www.historichaciendainns.com*. C'est en hôtel et en copropriétés du côté de Cabo San Lucas qu'on retrouve les meilleures affaires. Pour des renseignements sur la Basse-Californie (hôtels, restos, activités sportives, pêche au gros, etc.) et Los Cabos, on visite les sites *www.discoverbajacalifornia.com* et *www.loscabosguide.com/loscabostourism.htm*.

Voici quelques pistes pour la Riviera Maya:

- villas à louer à Cozumel: *www.cozumelvacations.com*
- Blue Parrot, *cabañas* sur la plage: *www.blueparrot.com*
- El Paraiso, *cabañas* sur pilotis à Tulum: *www.elparaisotulum.com*
- Zamas, chambres dans un hôtel au bord d'une crique à Tulum: *www.zamas.com*
- location de maisons au Yucatán: *www.holidayrentals.fr*

■ Quelques mots sur les longs séjours en véhicule récréatif

Il faut avoir les nerfs solides pour les nombreux contrôles policiers, ne pas voyager de nuit et ne prendre que les routes nationales. Les terrains de camping se trouvent surtout du côté de la Basse-Californie. Le camping sauvage n'est pas recommandé.

En cas d'accident, les conducteurs peuvent être mis à la disposition de la justice jusqu'à conclusion de l'enquête. En cas d'insolvabilité, ils peuvent être placés en garde à vue, et le véhicule peut être saisi. Quand il y a des blessés graves, le juge peut écrouer les automobilistes jusqu'à ce que les responsabilités respectives soient déterminées.

À México, il est impératif de respecter les jours d'alternance de circulation fixés en fonction de la plaque minéralogique, afin de lutter contre la pollution. Les véhicules immatriculés à l'étranger ne peuvent pas circuler dans le district fédéral le vendredi.

Pour le véhicule, il faut contracter une assurance spécifique. Le Conseil de promotion touristique du Mexique suggère la compagnie californienne Blake P. Sanborn Insurance. On peut remplir les formalités sur leur site: *www.sanborninsurance.com*. Ceux qui préfèrent traiter en français avec une compagnie d'assurances au Québec (séjours jusqu'à six mois) peuvent contacter Leclerc Assurances (☎*800-567-0927, www.leclercassurances.com*). Mais on peut également consulter le site Internet de la Fédération québécoise de camping et de caravaning au Québec *(www.campingquebec.com/fqcc)*, qui peut donner de bons trucs pour un voyage au Mexique (fréquenter les terrains de camping certifiés, mettre un grillage devant la calandre pour protéger des jets de pierre, etc.).

Le Service Voyages FQCC (☎*514-252-3003 ou 866-237-3722, www.campingquebec.com/voyage/eindex.asp)* est le spécialiste québécois des circuits en caravane à travers tout le continent nord-américain, au Mexique et à Cuba. Il s'occupe également de location de véhicules récréatifs (VR) pour les particuliers qui veulent vivre leur première expérience de voyage de groupe en VR. Tous les circuits-caravanes profitent des services d'un chef de caravane (guide) et d'un «serre-file» bilingues.

Les formalités d'enregistrement obligatoire du véhicule peuvent être remplies au poste de douane. On peut également le faire à l'avance en ligne à l'adresse *www.banjercito.com.mx/site/tramiteitv_ing.jsp*. Les frais (29,70$US, plus 15% de taxes, à la fron-

«Cochez oui, cochez non» ✓

Les tentants...
> un maximum d'attraits culturels dans les régions de l'intérieur;
> une cuisine authentique et un artisanat (poterie, bois et tissage) de grande qualité.

Les irritants...
> presque impossible d'échapper aux symboles qui entourent le mot «touriste»;
> la suspicion tous azimuts des policiers.

tière) doivent être réglés par une carte de crédit émise au nom du propriétaire du véhicule. Il ne faut pas oublier de s'enregistrer à la sortie du pays, sans quoi les autorités mexicaines considéreront qu'il s'agit d'un cas d'importation illégale et imposeront une amende qui sera prélevée sur la carte de crédit. Quant à la carte de tourisme, elle peut s'obtenir à la frontière. Pour accélérer les formalités, il faut avoir des photocopies des enregistrements du véhicule, du permis de conduire, des assurances, des passeports et de la carte de crédit.

Pour avoir de la documentation sur le sujet, on peut se procurer le *Traveler's Guide to Mexican Camping: Explore México and Belize with RV or Tent*, de Mike et Terri Church.

Quelques pistes pour se joindre à d'autres véhicules récréatifs:

· Amigos Rodantes (☎450-451-1079, *www.amigosrodantes.com*), un club de caravaning canadien qui se spécialise dans les voyages au Mexique.
· Wagon Train RV Tours (☎888-762-3278, *www.wagontrainsrvtours.ca*): club de caravaning canadien parcourant toute l'Amérique du Nord.

■ On retient l'attention sur...

· les contrôles policiers peuvent gâcher un séjour, peu importe si on loue un véhicule sur place ou qu'on apporte le sien;
· pour l'intérieur du pays ou en bord de mer, réservez son hébergement à l'avance, surtout en haute saison qui va de novembre à avril (effervescence hôtelière nourrie par les festivals, cours de langues et longs séjours);
· allez à la rencontre des professeurs et artistes locaux; ils seront fiers de donner des témoignages de leur passé et de leur présent avec quelquefois des livres à consulter ou des amis à visiter;
· les déplacements en autocar, qui sont très confortables surtout en 1re classe (*www.differentworld.com/mexico/common/pages/bus_info.htm*).

■ Où se renseigner et carnet de contacts

Conseil de promotion touristique du Mexique
1 Place Ville Marie, bureau 1931
Montréal, QC H3B 2C3
☎ 514-871-1052, 514-871-1103 ou 800-44-MEXICO
🖷 514-871-3825
www.visitmexico.com
montreal@visitmexico.com

Office du Tourisme Mexicain
4 rue Notre-Dames-Des-Victoires
75002 Paris
www.mexico-travel.com

Sur Internet

- *www.portalsanmiguel.com/tourist/index. html*
- *www.arts-history.mx* (culture mexicaine)
- *www.planeta.com/ecotravel/mexico/ mexparks.html* (parcs et zones protégées)
- *www.ssn.unam.mx* (pour être au courant des soubresauts sismiques au Mexique)

Panamá

Le canal de Panamá continue à être perçu comme une entité qui échappe aux Panaméens.
- Ricaurte Vásquez

■ Le long séjour à la panaméenne...

Les longs séjours au Panamá se goûtent sur la côte de la province de Panamá qui va de Punta Chame à Playa Blanca, ainsi qu'au nord dans l'archipel de la Comarcá de San Blas.

Quelques «long-séjouristes» optent pour la Ciudad de Panamá, pour faire ensuite des excursions dans la nature un peu partout dans le pays pendant leur séjour. Et pour cause: il y a ici des parcs qui n'ont rien à envier à ceux du Costa Rica, et dont les droits d'entrée sont surtout moins élevés.

Le Panamá résonne aussi aux sons de son canal, célèbre auprès des croisiéristes pour ses îles, ses fonds marins, sa faune et sa flore.

Il n'est pas spécialement facile de se repérer sur les routes du Panamá, où les indications sont fantaisistes, voire ne correspondent en rien aux cartes routières. Mais l'état des routes est relativement bon sur l'Interamericana, qui traverse tout le pays.

«Cochez oui, cochez non»

Les tentants...
> de nombreux parcs à des tarifs sympas;
> de belles découvertes insulaires dans les archipels du nord;
> des moyens de transport assez pratiques.

Les irritants...
> les vendeurs de babioles sur les plages;
> des rouleaux en bord de mer;
> le sentiment d'insécurité la nuit dans la Ciudad de Panamá.

Pour les routes secondaires, cela va du chemin recouvert sommairement de goudron au chemin défoncé, en passant par la piste de terre ou de sable. On «long-séjourne» donc en mode aventure… Pour cette raison, si l'on souhaite louer une voiture, mieux vaut prévoir la location d'un 4x4 pour pouvoir aller partout. Compte tenu des tarifs peu élevés des taxis ou des autocars qui sillonnent les endroits à visiter, la location peut ne pas être une nécessité, selon le mode de séjour envisagé, bien sûr. On peut également prendre le train légendaire entre la Ciudad de Panamá et Colón.

■ L'hébergement long séjour

On trouve de tout au Panamá: de la chambre sordide à 5$ au complexe hôtelier «tout-compris» sur plage ou sur une île. Les tarifs sont plus élevés dans la capitale, et la location de villas s'avère onéreuse en regard d'autres prestations hôtelières offertes. Une fois sur place, possibilité de louer des *cabañas* à bon prix.

Voici quelques contacts:

· location de villas: *www.viviun.com/Rentals/Panama*
· *Bed and breakfasts* dans la capitale: *www.litoralpanama.com*
· appartements avec cuisinette dans la capitale: *www.lasvegaspanama.com*
· gîtes et villas à louer notamment dans les îles du nord du Panamá: *www.dolphinlodge.com*
· Trinidad Spa & Lodge La Pintada (*ecolodge*): *www.posadaecologica.com*
· hôtel Vereda Tropical sur l'île Taboga (petites chambres coquettes): *www.veredatropicalhotel.com*

■ On retient l'attention sur…

· en février, c'est le carnaval dans tout le pays (impressionnant surtout dans la Ciudad de Panamá);
· en février, c'est aussi l'anniversaire de la révolution des Kunas dans les îles de la Comarca de San Blas (danses et cris);
· les parcs nationaux, trésors de richesses;
· les Autochtones ont le sens de la photo; dès que les touristes sont partis, ils revêtent jeans et chaussures de sport…

■ Où se renseigner et carnet de contacts

Sur Internet

· *www.anam.gob.pa*
· *www.ipat.gob.pa*
· *www.visitpanama.com*

· *www.thepanamanews.com* (spectacle, tourisme et gastronomie)
· *www.farraurbana.com* et *www.drumbas.com/Inicio1* (pour gays et lesbiennes).

Virginie (États-Unis)

*Les hommes ont tout perfectionné,
sauf les hommes.* - proverbe américain

■ Le long séjour à la virginienne...

C'est surtout à Virginia Beach que s'effectuent les longs séjours, surtout durant les mois de printemps et d'automne (janvier: pas assez chaud; juillet et août: trop achalandés). La plage fait quelques kilomètres et est parsemée d'hôtels avec appartements équipés d'une cuisinette attenante ou à même la chambre. La clientèle familiale étant très présente, certains établissements ont des piscines et des pataugeoires. À retenir: il faut s'habituer au bruit des avions de chasse qui font des essais fréquents durant la journée.

Pour faire ses achats de tous les jours, il y a de nombreuses pâtisseries, charcuteries et petits supermarchés un peu partout dans la rue principale, ou derrière, parallèle à celle-ci. L'accès à la plage est vraiment direct quand on loge dans un hôtel.

La clientèle rencontrée est surtout américaine, allant des sexagénaires qui parcourent le *boardwalk* pour un meilleur rythme cardiaque aux jeunes familles qui comparent landaus et couches-culottes, en passant par des petites bandes d'adolescents très sportifs qui ont pour le patin à roues alignées de belles envolées.

Il demeure possible de jouer au golf, de pêcher en haute mer et au bord d'une jetée aménagée à cet effet, de faire des balades historiques du côté de Norfolk et de Williamsburg, ainsi que d'effectuer un circuit des vins dans tout l'État.

«Cochez oui, cochez non»

Les tentants...
> la proximité plage-services-commodités;
> le nombre de commerces et de restaurants;
> les chapiteaux d'artistes et d'artisans qui parfois s'installent le long du *boardwalk*;
> la route des vins, les parcs et les quartiers à caractère historique partout dans l'État.

Les irritants...
> les jets militaires qui sillonnent le ciel au-dessus de la plage;
> le jogging matinal des militaires sur la plage;
> la baignade en mer pas systématiquement toujours possible;
> la musique omniprésente à certains endroits de la plage.

Du Québec, les «long-séjouristes» descendent le plus souvent avec leur véhicule, que cela soit pour un séjour en hôtel ou un séjour en véhicule récréatif dans les nombreux terrains de camping de l'État et les parcs nationaux, qui reçoivent pour certains tentes et véhicules récréatifs.

On déniche les campings les plus populaires du côté de Williamsburg, Wytheville, Charlottesville, Fredericksburg, Front Royal, Ferrum, Harrisonburg-New Market, Bowling Green, Staunton-Verona, Chesapeake Bay/Smith Island et Hidden Acres.

■ L'hébergement long séjour

Il existe de nombreuses locations de maisons, bungalows et appartements dans des copropriétés dans l'arrière-ville et dans tout l'État. Il faut réserver un peu à l'avance car ces locations sont souvent prises d'assaut par les amis qui visitent les familles de militaires présentes dans la région.

Toutes les adresses hôtelières et de maisons à louer sont répertoriées avec exactitude par l'office du tourisme de la Virginie. Grâce au moteur de recherche, il suffit d'indiquer la ville, le type d'hébergement et la grandeur souhaités, et apparaissent alors une kyrielle de bons plans. Les hôteliers hors saison pratiquent souvent de plus bas tarifs ou offrent une nuit gratuite par semaine passée (dont les «semaines canadiennes» en septembre offertes par les hôteliers participants).

Deux adresses à consulter:

· location de copropriétés au sud de Virginia Beach: *www.siebert-realty.com*
· maisons et copropriétés à louer à Virginia Beach: *www.atkinsonrealty.com*

■ On retient l'attention sur...

· une vie nocturne qui ne s'attarde pas trop la nuit;
· l'accueil familial dans la plupart des services;
· le nombre de magasins de gadgets dérivés de la plage;
· les antiquaires et les vieilles maisons de l'attrayant quartier piétonnier de Williamsburg;
· le nombre de musées et autres centres d'interprétation de l'État orientés vers les soucis militaires.

■ Où se renseigner et carnet de contacts

Bureau du Tourisme de la Virginie et Virginia Beach
6681 rue de Marseille
Montréal, QC H1N 1M2
☎ 800-671-4195 ou 888-MA-PLAGE
🖷 514-252-4773
www.vbfun.com
cti.virginia@qc.aira.com

Office du Tourisme des États-Unis
2 avenue Gabriel
75008 Paris
☎ 01 42 60 57 15
www.office-tourisme-usa.com/tourisme-virginie2.php
www.office-tourisme-usa.com/formalites-etats-unis.php

Sur Internet

- *www.virginia.org*
- *www.fallinvirginia.org*
- *www.virginiaplaces.org/rail/amtrak.html*
- *www.virginiawines.org* (route des vins)

L'Asie

1. Agra
2. Bikaner
3. Chennai
4. Chhukha
5. Goa
6. Hong Kong
7. Hua Hin
8. Jaipur
9. Jodhpur
10. Ko Lanta
11. Kolkata
12. Ko Samui
13. Krabi
14. Lhassa
15. Macau
16. Mumbai
17. Pattaya
18. Phuket
19. Puducherry
20. Punakha
21. Pushkar
22. Rayong
23. Saigon
24. Shanghai
25. Songkhla
26. Trongsa
27. Vâranasî
28. Xi'an

KAZAKHSTAN

OUZBEKISTAN   KYRGYZSTAN

TURKMENISTAN   TADJIKISTAN

AFGHANISTAN

PAKISTAN

MONGOLIE

CHINE

Beijing ✪   ● 28

Province du Tibet (Xizang)

New Delhi ✪   ● 2
● 9   ● 21   ● 8
● 1
● 5
● 16

BHOUTAN
Katmandou ✪
NÉPAL
Thimphou ✪   ● 14
● 20   ● 26
● 4
● 27
Dacca ✪
● 11
BANGLADESH

Mandalay ●
MYANMAR

Golfe
du Bengale

INDE

● 3
● 19
SRI
LANKA
Colombo ✪

Mer
d'Oman

OCÉAN INDIEN

CORÉE
DU NORD
Pyongyang ✪
JAPON
Tokyo ✪

CORÉE
DU SUD
Séoul ✪
● 24

Mer
Jaune

Mer des
Philippines

PHILIPPINES
Manille ✪

OCÉAN PACIFIQUE

● 6
● 15

Hanoi ✪
Vientiane ✪
LAOS
VIETNAM

THAÏLANDE
Bangkok ✪ ● 17 Phnom
● 7   ● 22   Penh ✪
CAMBODGE
● 23
● 12
● 18 ● 13 ● 25
● 10
MALAISIE
Kuala Lumpur ✪
SINGAPOUR ✪
BRUNEI ■

INDONÉSIE
Jakarta ✪

PAPOUASIE-
NOUVELLE-GUINÉE

©ULYSSE

L'Asie

Les longs séjours abordés dans ce chapitre sur l'Asie se résument à l'Inde (avec escapades au Népal et en Chine) et à la Thaïlande. Pour cette destination, on entend et lit souvent des commentaires comme celui-ci, notamment sur Internet: *On se sent bien en Thaïlande. Même les chiens de la rue semblent apprécier* la dolce vita. *C'est tout dire. La tolérance bouddhiste y est sûrement pour quelque chose. Vivre et laisser vivre.* C'est toujours un peu exagéré, mais on éprouve souvent, chez l'Occidental, le besoin de se retrouver loin de ses pénates, dans un environnement où l'habitant esquisse souvent un sourire avec une certaine courbure polie devant le «long-séjouriste» dont il obtient régulièrement de l'argent pour de menus achats, pour manger au resto de rue ou pour une course en taxi… En Inde, le voyage se veut plus mystique, en quête de spiritualité dans les hauteurs et dans la visite de temples ou dans des villages où l'on trouve l'apaisement que les anciens savent contrôler. Certains optent aussi pour des actions humanitaires à vocation sociale ou médicale, que cela soit dans les villes comme New Delhi ou Mumbai (anciennement Bombay) ou bien dans des régions très reculées. D'autres font le grand tour en incluant le Tibet (Chine) et le Népal dans leurs dérives sensorielles…

Inde (aussi Népal et Chine)

*Le monde flatte l'éléphant
et piétine la fourmi.*
- proverbe indien

■ Le long séjour à l'indienne…

C'est dans le nord de l'Inde (près du Népal et de Katmandou, sa capitale) et dans le sud de l'Inde (Madras, aujourd'hui Chennai, et Pondichéry, aujourd'hui Puducherry) qu'on dénombre le plus de longs séjours. Les nostalgiques des années 1960 se retrouvent du côté du sud-est, autour de Goa. Quête spirituelle ou travail bénévole auprès de certaines communautés reculées sont des approches courantes. On peut dire que la clientèle des temples a rejoint celle du trekking. On y trouve donc un tourisme de long séjour assez nomade, qui ne reste pas deux mois à la même place ou rarement.

■ L'hébergement long séjour

Contrairement à ce qu'on pourrait croire, l'hébergement n'est pas du domaine des temples (hormis certains *gurdwara* de tradition sikhe) mais des hôtels standards ou des *tourist bungalows* à des prix très bas. Dans ces cas-là, il faudra toujours s'en tenir

Quelques mots sur l'alimentation

Malgré la finesse des préparations culinaires en Inde, le choix est limité dans les petites villes et les campagnes. On se lasse vite du riz, des légumes en bouillie et des lentilles. Quand il est possible d'avoir un steak, c'est le plus souvent du buffle servi dans les restaurants musulmans. On sert du porc surtout dans les régions où les chrétiens sont nombreux (Goa). La viande bovine est bien sûr taboue, par devoir de vache sacrée, et on trouve des hamburgers de mouton là où les troupeaux sont nombreux.

Quand on reste assez longtemps en Inde, on passe par la cuisine qui se trouve dans les rues et par celle qui envahit un train à chaque arrêt important dans une gare, avec thé à la clé. On y mange alors toutes sortes de beignets, boulettes de pommes de terre frites au wok, des kebabs d'agneau enro-bés dans du fromage blanc et du pain chaud, des samosas accompagnés de pain aux pois chiches. On trouve pour le dessert une kyrielle de confiseries.

Pour être sûr de la qualité d'un comptoir d'alimentation, choisissez celui qui a une longue file d'attente, et vous pourrez ainsi juger plus facilement de l'hygiène ambiante. Dans les grandes villes, on peut faire son marché dans certains quartiers, mais il faudra faire face aux nombreux enfants qui font la mendicité, et ce n'est pas très agréable.

Si on est très fatigué des aliments servis dans les ruelles, on peut se conforter dans un restaurant indien d'hôtel de luxe qui pratique souvent des prix assez bas si on les compare avec nos habitudes de prix à l'Occident, et surtout par rapport à la qualité des aliments.

à un confort minimal, où viennent simplement s'ajouter quelquefois un ventilateur et un lavabo convenables.

En Inde, les petits hôtels se répartissent en deux catégories: Western et Indian. Il n'y a pas de différences dans les infrastructures ou les services offerts, mais normalement le Western est toujours un peu plus cher. La seule différence notable réside dans les toilettes. Les hôtels Western disposent le plus souvent de toilettes avec un siège, alors que les hôtels Indian font plus dans les toilettes turques. On peut marchander le prix des chambres lorsqu'il n'y a pas de monde. S'il y a peu de lits vacants, le propriétaire peut augmenter ses prix sans avertissement selon le vieux principe de l'offre et de la demande.

On trouve des hôtels de catégorie dite «internationale» avec piscine et climatisation dans les grands centres touristiques et dans les grandes villes. Les chaînes Centaurs, Casino, Clarks, Oberoi, WelcomGroup, ITDC (Ashok) et, dans le luxe, la chaîne Taj Group, sont présentes partout dans le pays.

Il y a également le «logement chez l'habitant» qui est organisé dans l'État du Rajasthan (Jaipur, Jodhpur et Bikaner). Ce service s'appelle le *Paying Guest Scheme*. On compte également des logements chez l'habitant à Chennai et à Mumbai sous les vocables de *Paying Guest Association*. Il faut toujours se méfier des rabatteurs (conducteurs de rickshaw ou d'autorickshaw) qui sévissent dans les grandes villes, les aéroports et à la sortie des gares, et qui proposent des chambres d'hôtel. Ils vous emmènent à l'hôtel de leur choix, celui qui leur verse une petite commission. Et les désillusions sont alors nombreuses…

■ On retient l'attention sur…

- la santé: aucun vaccin n'est obligatoire. Prévention recommandée toute l'année mais surtout en période de mousson, pour les régions situées au-dessus de 2 000 m. Pour les longs séjours dans des régions retirées, on conseille la vaccination contre la rage (les singes et les chiens errants ne sont pas sacrés);
- l'argent: si les principales cartes de crédit et les chèques de voyage sont acceptés dans les grandes villes et les stations touristiques, c'est la galère pour se procurer de l'argent dans les régions reculées et dans les campagnes. Mieux vaut donc prévoir des sommes en argent liquide dans les villes où l'on peut en changer. Détail important: les Indiens semblent ne jamais avoir de monnaie disponible à rendre. Il faut soit attendre, soit passer son tour…;
- à voir et à faire: les musées et les studios de cinéma de Chennai, les plages du Kerala, les randonnées pédestres du

«Cochez oui, cochez non»

Les tentants…
> la diversité et la densité du patrimoine architectural;
> la panacée pour ceux qui veulent visiter temples, mosquées et lieux de pèlerinage;
> la facilité à rencontrer les résidants;
> le coût de la vie est bas.

Les irritants…
> le climat défavorable entre juin et septembre (mousson);
> les tensions politiques au Cachemire;
> l'impression d'être toujours un touriste;
> la pauvreté des enfants dans les villes;
> la barrière de la langue et des dialectes.

Ladakh et autour du col de Gocha ainsi qu'au Zanskar, les stations climatiques dans les monts Nîlgîri, les monuments du Maharastra, les monastères tibétains du Sikkim, la plongée aux îles coralliennes de Laquedives, l'île d'Elephanta, la foire du Dromadaire à Pushkar en novembre, la réserve naturelle de Rathambore, les villes comme Calcutta (Kolkata), New Delhi, Mumbai, Vârânasî et Agra.

Le long séjour initiatique au départ de l'Inde

Populaire dans cette partie du monde, le grand voyage initiatique s'étale sur plusieurs mois, en commençant par l'Inde, en continuant vers le Népal puis le Bhoutan (cher, et tous les aspects du tourisme sont tenus par les moines), pour aborder la Chine via Lhassa (Tibet), qui est maintenant accessible par Katmandou par la route et par train depuis Beijing (Pékin). Dans ce type de voyage, il ne faut jamais ignorer les symptômes dus au mal d'altitude. Être en bonne santé est un des principaux critères. La fin du voyage se fait entre Beijing (Pékin), Shanghai, Hong Kong ou Macau.

Exemple d'un voyage de quatre mois au Bhoutan, au Népal et au Tibet (Chine): plusieurs jours obligatoires à New Delhi, pour se diriger ensuite par avion au Bhoutan (quelques jours seulement, car c'est très cher). Ensuite, direction Népal, à Katmandou, le temps d'obtenir un visa spécial pour le Tibet. Prochaine étape: Lhassa, par voie terrestre, où la Friendship Highway est une expérience unique. Ensuite, une semaine au Tibet, puis on prend le train de Lhassa pour se diriger vers Beijing et sa région, plus tard vers Xi'an, certaines campagnes, Shanghai et, pour conclure, la région de Hong Kong. La plus grande partie du voyage se fait alors avec sac au dos.

À retenir…

> la Friendship Highway: au préalable, se renseigner sur les conditions de la route, la seule, à vrai dire, entre Katmandou et Lhassa. En période de mousson, oubliez cette option;

> le train de Lhassa à Bejing: le billet le plus cher équivaut à la moitié environ d'un billet d'avion;

> au registre des paysages, c'est au Bhoutan et au Tibet qu'on se régale. Au Bhoutan, les alentours de Tronsa, de Chhukha et de Punakha constituent des merveilles naturelles. Le Tibet offre des panoramas tout aussi splendides en dehors de Lhassa, qui est souvent envahie par des travaux de construction;

> en Chine, les campagnes sont quelquefois monotones ou sublimes, un peu comme la nourriture (préférez la végétarienne, pour ne pas tomber sur un émincé de viande inconnue). Aux portes de Hong Kong, l'île de Lantau dispose de quelques *guest houses* en bord de plage. Aussi, empruntez le traversier pour Macau, pour voir de belles antiquités et pour trouver une ambiance portugaise en terre asiatique;

> pour tout ce voyage, il faudra faire attention au mal d'altitude. Au Népal, le CIWEC *(clinique médicale privée à Katmandou; www.ciwec-clinic. com)* donne de l'information aux voyageurs.

■ Où se renseigner et carnet de contacts

Government of India Tourism Office
60 Bloor Street West, Suite 1003
Toronto, ON M4W 3B8
☎ 416-962-3787/8
🖶 416-962-6279
indiatourism@bellnet.ca

Government of India Tourism Office
1270, Avenue of the Americas, Suite 1808, 18th Floor
New York, USA 10020-1700
☎ 212-586-4901, 4902, 4903 ou 800-451-2716
🖶 212-582-3274
www.incredibleindia.org
ny@itony.com

Office du Tourisme Indien
13, boulevard Haussman
75009 Paris
☎ 01 45 23 30 45
🖶 01 45 23 33 45
www.inde-en-ligne.com

Sur Internet

· *www.uniterre.com*
· *www.asia.fr*
· *www.voyager-inde.com*
· *www.accesstibettour.com/train-railway. html* (indications pour le train Lhassa – Beijing et de l'hébergement à partir de Lhassa)
· *http://pondichery.quiveut.com/?aff=1* (appartements et petites annonces à Pondichéry, aujourd'hui Puducherry)
· *www.rajasthantourism.gov.in* (Paying Guest Scheme)
· *www.globalexchange.org* (organisme pour visites et travaux communautaires)
· Pour le grand voyage initiatique: les Guides de voyage Ulysse, *Comprendre la Chine*.

Thaïlande

  Il n'y a pas d'autre bonheur que la paix. - proverbe thaï

■ Le long séjour à la thaïlandaise...

En Thaïlande, on retrouve les «long-séjouristes» surtout du côté de Pattaya, dans des appart-hôtels, des copropriétés ou quelquefois des villas à proximité de la plage. Ces dernières ne sont pas les plus belles avec du béton environnant, mais certains y trouvent leur compte en fréquentant celles de Phuket, Hua Hin, Ko Lanta, Ko Samui, Krabi, Rayong et Songkhla, également des lieux où l'on aime rester pour plus de quelques semaines. Certains «long-séjouristes» aiment bien la combinaison ville et plage, et fréquentent par exemple Bangkok pour plusieurs semaines, puis se dirigent vers une destination balnéaire.

Dans le pays, le tourisme de santé et de bien-être gagne des galons, que ce soit à Pattaya, Bangkok ou ailleurs. On s'informe sur le sujet au *www.thaispaassociation*.com. Le tourisme tout court a toutefois encore de très belles années devant lui. Les voyageurs qui ont envie d'une tournée générale dans le pays se voient offrir le *Visit Thai & Rail Pass*, un laissez-passer permettant les déplacements en train en mode illimité pendant 20 jours. Dans le même registre, pour faire un voyage ferroviaire mythique: l'*Eastern et Oriental Express*, ou 42 heures de trajet entre Singapour et Bangkok...

«*Cochez oui, cochez non*»

Les tentants…

> la facilité à rencontrer les habitants et à parler avec les mains;
> le coût de la vie est bas;
> une bonne variété de stations balnéaires;
> les parcs et les communautés urbaines.

Les irritants…

> toujours l'impression d'être un touriste;
> la barrière de la langue.

■ L'hébergement long séjour

L'hébergement va du plus sordide au plus luxueux. Les adresses les plus chères sont du côté de Pattaya et de Bangkok, et on trouve aussi bien des bungalows à très bon marché avec peu de confort ou de sécurité que des appart-hôtels qui ressemblent beaucoup aux «tout-compris» des Caraïbes et qui misent leurs services sur la convivialité pour les familles.

On a recensé dernièrement quelques agressions dans les *guest houses* bon marché. Aussi, il y a des régions (au nord) où il vaut mieux ne pas mettre les pieds pour raison de conflits politiques (groupes extrémistes).

Voici quelques pistes pour magasiner:

- appartements à Pattaya: *www.fairproperties.com*
- thalasso à Ko Lanta: *www.thalasso-line.com*
- appartements à Bangkok: *www.bangkokproperty.com*
- appartements en copropriété à Bangkok: *www.kkeasyhome.com*
- appartements en copropriété à Pattaya: *www.travel-library.com*
- maisons à louer à Pattaya: *www.thaiproperty.com*
- appartements et hôtels à Phuket: *www.hotels.phuket.com*

■ On retient l'attention sur…

- un approvisionnement au jour le jour assez intéressant pour le porte-monnaie;
- l'usage des cartes de crédit: il se peut que l'on refuse votre carte occidentale (même si toutes les cartes Visa ou MasterCard émises dans le monde sont également acceptables) ou que l'on vous prenne une majoration illégale (4 ou 5%!);
- le marchandage: certains se font un devoir de marchander tout ce qui bouge, mais quand on réalise combien cela coûte, n'est-il pas exagéré de discuter un prix déjà très bas avec un habitant, qu'il soit un enfant ou un adulte?;
- le pourboire: pas une pratique courante, mais le personnel des grands hôtels et restaurants commence à s'y habituer. Ailleurs, ne vous en inquiétez pas (notamment les taxis);
- la grande variété des aliments: aux marchés et dans les rues, du poisson aux fruits frais (mangues, ananas, etc.), en passant par tous les petits comptoirs de nourriture (qui vendent entre autres du poulet aux noix de cajou) et de crème glacée. Également sur les étalages: citronnelle, basilic thaï, lait de coco et piments

à intensités variables. Il faut toutefois faire attention à la fraîcheur des viandes et des fruits de mer, qui peuvent rester quelques heures au soleil;

· l'anglais plutôt aléatoire des gens de la place;

· le prix de la nourriture à Bangkok, dans l'ensemble plus chère, sauf à Thonburi et dans les quartiers ouvriers comme Khlong Toey et Makkasan;

· on évite les foules d'avril à octobre (mais attention à la température)

· les Baht (taxis collectifs) qui circulent partout. On paie en descendant. Plus efficace que le métro et rarement plus d'une minute d'attente;

· la balade en solitaire durant la nuit, qu'on évitera dans les coins plus isolés;

· les boissons ou les mets offerts par des inconnus dans les quartiers un peu chauds de Bangkok et de Pattaya, qu'on refusera (peuvent contenir des somnifères).

La meilleure saison pour «long-séjourner»

Trois saisons sont au compteur: l'été (mars à mai), la saison intermédiaire (alternance de pluies tropicales et de soleil, juin à septembre) et la saison dite «fraîche» (avec orages brefs, octobre à février). La température moyenne annuelle: 28°C, avec des variations relativement faibles (à Bangkok: 30°C en avril et 25°C en décembre).

Du point de vue climatique, la saison la plus intéressante se situe entre novembre et mars (notamment au nord), période où il pleut le moins et où il ne fait pas encore trop chaud. D'avril à juin, il fait bon dans le sud quand le reste du pays croule sous la chaleur. À Bangkok, avril rime avec cuisson et octobre avec flottaison…

■ Où se renseigner et carnet de contacts

Tourism Authority of Thaïlande
1393 Royal York Road, Suite 15
Toronto, ON M9A 4Y9
☎ 416-614-2625
🖨 416-614-8891
www.tourismthailand.org

Office de tourisme de Thaïlande
90 avenue des Champs-Élysées
75008 Paris
☎ 01 53 53 47 00
🖨 01 45 63 78 88
www.tourismethaifr.com

Sur Internet

· *www.thailande-online.com*
· *www.thailande-guide.com*
· *www.thailandhotdeal.com*
· *www.thaiwaysmagazine.com*
· *www.thailandtourismdirectory.com*
· *www.phuket.com*
· *www.bangkok.com*
· *www.asiegolf.com*

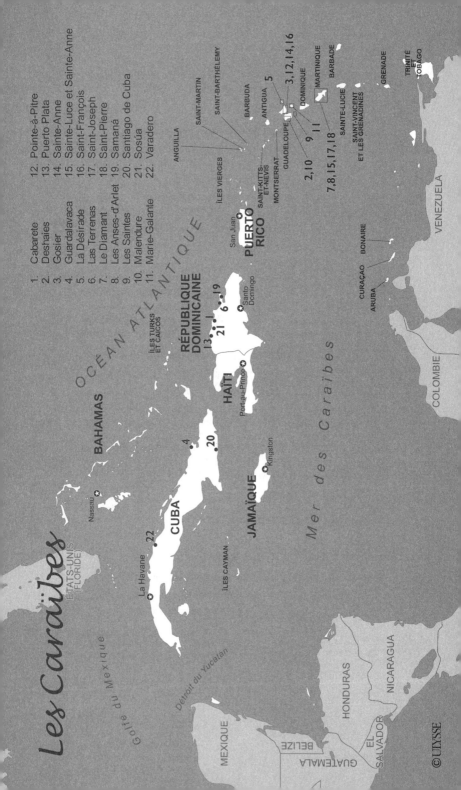

Les Caraïbes

1.	Cabarete	12.	Pointe-à-Pitre
2.	Deshaies	13.	Puerto Plata
3.	Gosier	14.	Sainte-Anne
4.	Guardalavaca	15.	Sainte-Luce et Sainte-Anne
5.	La Désirade	16.	Saint-François
6.	Las Terrenas	17.	Saint-Joseph
7.	Le Diamant	18.	Saint-Pierre
8.	Les Anses-d'Arlet	19.	Samaná
9.	Les Saintes	20.	Santiago de Cuba
10.	Malendure	21.	Sosúa
11.	Marie-Galante	22.	Varadero

OCÉAN ATLANTIQUE

ÉTATS-UNIS (FLORIDE)

Golfe du Mexique

Détroit du Yucatán

BAHAMAS

Nassau

La Havane

CUBA

22

4

20

ÎLES CAYMAN

JAMAÏQUE

Kingston

ÎLES TURKS ET CAÏCOS

RÉPUBLIQUE DOMINICAINE

Santo Domingo

HAÏTI

Port-au-Prince

13

21 6

19

PUERTO RICO

San Juan

ÎLES VIERGES

ANGUILLA

SAINT-MARTIN

SAINT-BARTHÉLEMY

BARBUDA

ANTIGUA

SAINT-KITTS-ET-NEVIS

MONTSERRAT

GUADELOUPE

2,10

9

11

5

3,12,14,16

DOMINIQUE

MARTINIQUE

7,8,15,17,18

SAINTE-LUCIE

SAINT-VINCENT ET LES GRENADINES

BARBADE

GRENADE

TRINITÉ ET TOBAGO

Mer des Caraïbes

VENEZUELA

COLOMBIE

ARUBA

CURAÇAO

BONAIRE

MEXIQUE

BELIZE

GUATEMALA

EL SALVADOR

HONDURAS

NICARAGUA

© ULYSSE

Les Caraïbes

D ans la zone Caraïbe, les destinations les plus populaires en matière de longs séjours sont Cuba, aux alentours de la capitale cubaine, La Havane, les Antilles françaises, avec la Martinique et la Guadeloupe et ses îles. Puis la République dominicaine, avec Sosúa, Puerto Plata et la baie de Samaná, ainsi que les hauteurs à l'intérieur du pays.

Cuba

*La fourmi perchée sur la corne
du bœuf s'imagine qu'elle est très
importante dans le
balancement de sa tête.*
- proverbe cubain

■ Le long séjour à la cubaine

Le phénomène des longs séjours à Cuba existe depuis quelques années seulement. On y trouve surtout des appart-hôtels autour de La Havane, ce qui permet ainsi de jouir de la combinaison plage et culture. Il y a quelques adresses du côté de Varadero et des «logements chez l'habitant» du côté de Guardalavaca et de Santiago de Cuba. On trouve également une clientèle pour la chasse au petit gibier et pour la pêche à l'achigan dans des structures le plus souvent sous forme de bungalows à l'intérieur des terres. Pour les personnes qui prennent des médicaments très pointus, il leur est conseillé de les apporter avec eux (on a le droit à 10 kg de médicaments par personne). Les Cubains ont d'excellents médecins, mais souffrent, à cause du boycott américain, du manque de médicaments et de matériel (laser, etc.) et doivent passer par d'autres pays pour se ravitailler (et ainsi les payer plus cher).

■ L'hébergement long séjour

Les appart-hôtels

Les appart-hôtels et les villas à louer vont du très sommaire à un barème de qualité correspondant à un trois-étoiles. Parce que ces établissements sont encore peu connus et que la destination gagne elle aussi à être connue, voici un inventaire des noms et adresses à retenir et leurs particularités.

- Appart-hôtel Islazul Atlántico: sur les plages de Santa María del Mar et à 20 min à l'est de La Havane. Sur place: appartements de une, deux ou trois chambres à coucher avec salle de bain privée ou partagée. Aussi: service médical, location de voitures, pharmacie à 100 m et accès à Internet.

- Appart-hôtel Islazul Las Terrazas: face à la plage, à 20 min de La Havane et à 45 min de l'aéroport. Appartements climatisés d'une ou deux chambres. Sur place: boutiques et dépanneurs. En complément: plongée libre, plongée sous-marine, massage, location de voitures et accès à Internet.

- Appart-hôtel Islazul Varazul: au centre-ville de Varadero. Sur place: appartements à une chambre, aire de jeux, massage, épicerie et services médicaux.

- Appart-hôtel Islazul Mar del Sur: au cœur de Varadero, à quelques minutes de la plage. Installations permettant de résider en groupe, donc un lieu idéal pour les longs séjours en famille. Sur place: 48 appartements à deux chambres et 98 appartements à une chambre, initiation à la plongée, massage, accès Internet et parc pour enfants.

- Appart-hôtel Montehabana (chaîne Gaviota): dans une région privilégiée de La Havane, soit le quartier de Miramar. Sur place: 88 appartements, épicerie et service de blanchisserie.

«*Cochez oui, cochez non*»

Les tentants...

> Approche et accès à la population très faciles (ce qui facilite grandement notamment l'apprentissage de la langue espagnole), mélange «culture et belles plages» plus que satisfaisant pour une destination des Caraïbes, l'architecture de La Havane, le transport en taxi peu coûteux, le coût de la vie abordable, le farniente délicieux, la musique locale (hors complexe «tout-compris», bien sûr).

Les irritants...

> La prostitution (surtout infantile), la difficulté à trouver une pluralité d'aliments, de certains produits de consommation courante et – dans l'éventualité d'une location de voiture – de stations-service.

Pour d'autres renseignements sur ces chaînes hôtelières:

- *www.gaviota-grupo.com*
- *www.gran-caribe.com*
- *www.islazul.cu*

Aussi, pour des réservations d'appartements à La Havane: *www.allocuba.com*

De la villa à la cabaña en passant par la chambre chez l'habitant

La Villa Los Pinos (Gran Caribe) est une bonne adresse. Les unités sont situées à 200 m de la plage et à 25 min de La Havane. Villas climatisées de deux, trois ou quatre chambres à coucher avec ou sans piscine privée. Sur place: clinique médicale, restaurants et dépanneur à proximité.

Autre bonne adresse pour les «long-séjouristes»: Villa Marina Tarará (☎07-97-1616 ou 07-97-1617), au bord de la plage de Santa María, dans le secteur des Playas del Este. Situé à une trentaine de minutes de La Havane (service de navette offert), la Villa Marina Tarará s'apparente à un petit village de villas à louer, lesquelles sont très aérées. Parmi les services sur place: restaurants, salon de beauté et massage, épicerie et piscines (dont une pataugeoire).

Autres nids:

- Casa Chez Nous (☎862 6287, *cheznous@ceniai.inf.cu*): une des bonnes *casas particulares* du Habana Vieja où l'on parle le français.
- Pour louer chez l'habitant à Holguín: *www.particuba.net/villes/holguin/index.html*
- Villa Cayo Saetia Lodge (*vsaetia@ipetecsa.cu*): *cabañas* pour adeptes – et conjoints – de la chasse et de la pêche.
- Chambres chez l'habitant: *www.uniterre.com* et *http://perso.orange.fr/cuba.libre*

■ On retient l'attention sur…

- On peut bien sûr louer une voiture (Suzuki ou Lada), mais il faut se rappeler que les stations-service sont rares, voire très très rares. Celles qui distribuent de l'essence *especial* s'appellent Cupet (ou Oro Negro). En cas de panne, réparation gratuite dans les agences Transtur de l'île (bien prendre les numéros de téléphone des diverses agences sur l'île). Aussi, pour un retour aux années 1940, possibilité de faire des circuits dans La Havane dans des voitures anciennes restaurées *(www.cuba.cu/turismo/panatrans/grancar.htm)*.

On évite par contre:

- les rabatteurs d'appartements et de chambres chez l'habitant qui essaient de vous faire croire n'importe quoi;
- de prendre, à La Havane, l'autocar (chameau) n° M6 en face du glacier mythique Coppelia jusqu'à El Calvario (arrêts tous les 300 m, bondé de monde et de voleurs à la tire aussi);
- de rouler la nuit en bord de mer;
- de rire avec excès devant la maison natale de Fidel…

■ Où se renseigner et carnet de contacts

Bureau de Tourisme de Cuba
2075 rue University, bureau 460
Montréal, QC H3A 2L1
☎ 514-875-8004
🖶 514-875-8006
www.gocuba.ca
montreal@gocuba.ca

Office du Tourisme Cubain
280 boulevard Raspail
75014 Paris
☎ 01 45 38 90 10
🖶 01 45 38 99 30
www.cubatourisme.fr

Sur Internet

- *www.havanatour.fr*
- *www.rootstravel.com*
- *www.lesamisdecuba.com* (*Cuba Si* – France solidarité avec Cuba)
- *www.cubatravel.cu*
- *www.havana-vista.com*
- *www.infotur.cu*
- *www.cubamarviajes.cu* (produits hôteliers et de transport)

Guadeloupe

Parler le français n'est pas une preuve d'intelligence.
- proverbe créole

■ Le long séjour à la guadeloupéenne

En Guadeloupe, les longs séjours s'écoulent du côté de Grande-Terre (Sainte-Anne, Saint-François, Le Gosier), mais également du côté de Basse-Terre, aux alentours de Deshaies et de Malendure. Les délices visuels et naturels sont offerts par les chutes, et l'un des attraits de l'île se découvre en hauteur: la Soufrière, un formidable terrain de jeu pour la randonnée et le canyoning. Un peu partout, on trouve des gîtes, des «logements chez l'habitant», des bungalows locatifs, des résidences hôtelières. Pour faire ses achats, il est de bon ton d'aller une fois par semaine à Pointe-à-Pitre, du côté du marché aux poissons et des supermarchés. Pour ceux qui veulent un long séjour réellement insulaire, les îles au large de La Désirade, des Saintes et de Marie-Galante offrent quelques possibilités d'hébergement.

■ L'hébergement long séjour

Du gîte à l'ecolodge en passant par la villa

L'hébergement locatif autre qu'en hôtel est assez bien représenté et regroupé, donc accessible. Plusieurs ressources sont mises à la disposition des visiteurs, notamment:

- Gîtes de France – Guadeloupe: *www. gitesdefrance-guadeloupe.com*
- Location d'appartements et villas: *www. hotels-gites-location-antilles.com*

Quelques adresses particulières:

- Le Domaine AW Marineland à Sainte-Anne (bungalows dans un jardin tropical avec accès à la plage): *www. awmarineland.com*
- Habitation Massieux à Bouillante (*ecolodge*): *www.habitation-massieux.com*
- Habitation Tendacayou (☎/🖥 *05 90 28 42 72, www.tendacayou.com)*: bungalows de toutes les couleurs et des maisons dans les arbres à Deshaies, sur la côte est de la Guadeloupe

«Cochez oui, cochez non» ✓

Les tentants...
> un bon réseau routier;
> la langue française;
> une bonne gastronomie variée;
> l'accessibilité des produits de consommation courante, dont plusieurs de marques devenues internationales.

Les irritants...
> l'état des eaux intérieures et stagnantes;
> la cherté de la vie courante;
> les relations parfois tendues entre gens de Guadeloupe et les «Métros», ces Français du continent.

Pour de l'hébergement dans les îles, deux références:

- à Marie-Galante: *www.nouvellesantilles.com*
- aux Saintes: *www.webcaraibes.com*

Hébergement «Bienvenue à la Ferme»: Chambre d'Agriculture de la Guadeloupe *(☎05 90 25 17 17)* à Baie Mahault.

Pour louer une maison en Guadeloupe, Vacances en Province *(au Québec; www. vacances-en-province.com)* en fait sa spécialité (hébergement à la carte).

Le bungalow à son meilleur

En face de la réserve Cousteau, le Rocher de Malendure *(☎05 90 98 70 84, 🖥 05 90 98 89 92, www.rocher-de-malendure.gp)*, à Bouillante, propose ses bungalows de taille modeste sur le rocher avec air conditionné. Restaurant sur place et pêche au gros offerte. Possibilité aussi de louer des bungalows en retrait du village, au milieu des champs.

Pour faire des achats à Bouillante, c'est chez Marie Line Félicité, l'épicerie tous azimuts de l'endroit. Boudin créole, boudin de lambis et pâte pour acras de morue. Pour des pizzas généreuses à petits prix et des spécialités créoles, une ambiance sympathique sous paillotte vous attend au restaurant Le Ranch.

■ On retient l'attention sur...

- En règle générale, les routes principales de Guadeloupe sont en bon état. Ce sont les routes secondaires (quelquefois très étroites) ou celles aux abords de certaines plages qui sont chaotiques. Les panneaux de signalisation des villages ou des sites de randonnée et des points de vue sont assez efficaces.
- Les voyages inter-îles entre la Guadeloupe, la Martinique, la Dominique, La Désirade, Les Saintes et Marie-Galante se font à partir de Saint-François, Pointe-à-Pitre et Basse-Terre. Une envie d'autocaravaning? Contactez Évasion Tropicale à Sainte-Rose.

Au chapitre des incontournables à découvrir, on doit retenir:

- le Parc national de la Guadeloupe;
- la plongée dans la Réserve Cousteau (parties de pêche au gros);
- les randonnées pédestres autour des chutes (Moreau, Le Carbet, la Soufrière, Galion) et dans les parcours plus ou moins balisés: trace des Falaises, trace des Contrebandiers, saut d'Acomat, ainsi que trace des Crêtes et du morne Morel (Les Saintes).

On évite par contre de:

- patauger dans les eaux stagnantes (bilharziose);
- jouer aux amoureux sous un mancenillier (arbre toxique; dans les endroits les plus fréquentés, son tronc est marqué d'une trace rouge et des panneaux de l'Office National des Forêts (ONF) signalent leur présence);
- faire du camping sauvage (interdit par la loi);
- encourager les combats de coqs en y participant.

Au chapitre de la gastronomie, voici quelques mots pour saliver: acras de morue, boudin créole, poissons grillés (dorade coryphène, thazard, espadon, vivaneau), colombo de poulet et de cabri, *ouassous* (crevettes d'eau douce), langoustes, crabes de terre, fricassées de *chatrou* (pieuvre) et de *lambi* (conque), ainsi que gratin d'ignames et de cristophines.

Vive le drapeau canadien!

N'en déplaise aux Européens, quelquefois il peut être avantageux de spécifier, avant de se présenter, qu'on est Canadien ou Québécois. Certains Guadeloupéens au penchant nationaliste aigu ne portent pas dans leur cœur tout ce qui est «Métro» (venant du continent, particulièrement de France).

■ Où se renseigner et carnet de contacts

Maison de la France
1800 avenue McGill College, bureau 1010
Montréal, QC H3A 3J6
☎ 514-876-9881 ou 866-313-7262
🖨 514-845-4868
www.franceguide.com
canada@franceguide.com
info@mafrance.ca

Office du tourisme de Guadeloupe à Paris
43 rue des Tilleuls
92100 Boulogne
☎ 01 46 04 00 88
🖨 01 46 04 74 03

Comité du tourisme des Îles de Guadeloupe
5 Square de la Banque
Pointe-à-Pitre
☎ 05 90 82 09 30
🖨 05 90 83 89 22
info@lesilesdeguadeloupe.com

Union départementale des OT-SI
A/S - Office de Tourisme Les 3 Ponts de Galbas
B.P. 84
97180 Sainte-Anne
☎ 05 90 88 09 49
🖨 05 90 88 10 34
frguadeloupe@fnotsi.net

Sur Internet

· *www.outremer.com (*portail des Dom Tom)
· *www.tourisme-in-france.com/annuaire-du-tourisme-Guadeloupe* (annuaire du tourisme en Guadeloupe)
· *www.antilles-info-tourisme.com/guadeloupe* et *www.lesilesdeguadeloupe.com* (renseignements touristiques généraux)
· *www.guadeloupe-parcnational.com* (Parc national de la Guadeloupe)
· *www.guadeloupe-ecotourisme.fr* (écotourisme local)
· *www.antillesresto.com* (annuaire des restos de l'archipel)
· *www.voile-en-guadeloupe.com* (services de navigation dans l'archipel)
· *www.coconews.com* (excursions, concerts, bons plans de chaque commune*)*
· *www.journal-guadeloupe.com* (*Le journal de la Guadeloupe*)

Pour les communes de Grande-Terre et de Basse-Terre ainsi qu'à La Désirade, Les Saintes et Marie-Galante: bureaux du tourisme sur place.

Martinique

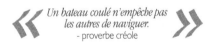

Un bateau coulé n'empêche pas les autres de naviguer.
- proverbe créole

■ Le long séjour à la martiniquaise

Les longs séjours en Martinique se font un peu partout sur la côte ouest, de Saint-Pierre (au nord) aux Saintes (Sainte-Anne et Sainte-Luce, au sud). Ceux qui veulent être dans l'ambiance touristique optent pour des résidences hôtelières du côté du Diamant et d'Anses d'Arlet. Sur la côte est, plus sauvage, l'offre est moins importante. Par contre, il existe de nombreux gîtes, particulièrement à l'intérieur des terres, du côté de Saint-Joseph. Idéal pour faire des randonnées. Le réseau routier est, dans l'ensemble, en très bon état, et l'on peut se déplacer aisément de village en village avec les autocars locaux, les locations de voitures étant assez chères. On peut toujours négocier un tarif pour un long séjour par l'entremise de l'hébergement (gîte, villa, résidence hôtelière). On a l'habitude de visiter le magasin Carrefour de Fort-de-France une fois par semaine pour des achats en gros, et de visiter également le marché haut en couleur de la capitale, qui fait aussi bien dans les fruits et légumes que dans la grenouille et le crabe. Il est aussi de bon ton de s'emparer d'un «poulet boucané» vendu en bordure de la route ainsi que de fréquenter les comptoirs d'ananas, de bananes et autres mangues.

■ L'hébergement long séjour

Les unités de location propices au long séjour en Martinique sont souvent du registre des gîtes créoles, en général de petits bungalows qui avoisinent la maison du propriétaire. On les trouve un peu partout sur l'île, mais les moins coûteux et les plus authentiques se retrouvent à l'intérieur des terres. Il est parfois possible de partager les cultures maraîchères du voisin ou du propriétaire. Loger dans ces gîtes est également une bonne manière de connaître les amis de la famille d'accueil et autres contacts (pour aller pêcher, le meilleur rhum du coin, l'achat de volailles, etc.). En ce qui concerne les appart-hôtels – particulièrement du côté du Diamant et d'Anses d'Arlet – les infrastructures ne sont pas très grandes, mais offrent tout de même un accueil chaleureux.

Quelques pistes et adresses:

- location de gîtes et de bungalows: *www.1000gites.com*
- Gîtes de France: *www.itea.fr/GDF/972, gites-de-france-martinique@wanadoo.fr*
- Accueil paysan: ☎ *05 96 77 60 34*
- La Sikri ferme-auberge au Lorrain: *www.caribin.com/lasikri*
- La Ninon (gîte) à Saint-Joseph: *www.annuaire-du-tourisme.net*
- Anoli Village (studios et appartements): *www.anoli-village.com*

Aussi, la Maison du tourisme vert (☎ *05 96 73 74 74,* 🖷 *05 96 63 55 92)* donne des renseignements sur la totalité des gîtes en Martinique.

Enfin, pour louer une maison en Martinique, un contact en sol québécois: Vacances en Province, dont la spécialité est l'hébergement à la carte. Site Internet: *www.vacances-en-province.com*.

■ On retient l'attention sur...

- Les artères principales sont très bien entretenues, ce qui n'est pas le cas des petites routes. Une carte routière IGN est distribuée gratuitement à l'aéroport.

- En louant de petits bateaux à moteur ou un voilier, on a accès à des criques où personne ne va. Pour le naturisme, la seule plage qui en tolère la possibilité est Petite Anse près des Salines, une minuscule crique où règnent quelques couples hétéros et une majorité de gays

«Cochez oui, cochez non»

Les tentants...
- la langue française;
- un grand choix de plages;
- un bon réseau routier;
- une gastronomie abondante;
- la facilité à s'approvisionner en produits de consommation courante.

Les irritants...
- la cherté de la vie;
- la circulation nocturne sous bonne tension, voire dangereuse.

dans le plus simple appareil. Les plages les plus fréquentées ont été débarrassées des mancenilliers (arbres toxiques).

Spectacles de plage hautement sexy

Sur la plage des Saintes, il y a chaque jour des «spectacles» de vente de maillots de bain pendant lesquels de jeunes filles essaient et défilent, pour les touristes, tous les bikinis possibles. Pour les maillots pour hommes, ce sont de jeunes apollons qui font le défilé…

Au registre des incontournables:

- les sources chaudes de Didier, du Prêcheur et d'Absalon;
- les routes autour de la Montagne Pelée;
- la route des Crêtes, qui va du Marin au François;
- le Marché du poisson à Fort-de-France;
- la savane des Pétrifications (paysage lunaire);
- la promenade à Cœur Bouliki et dans les forêts de Rabuchon et de Balata.

On évite par contre de:

- conduire la nuit et les soirs de fin de semaine (abus de rhum chez la population locale);
- se baigner dans les rivières Capot, Falaise, Carbet, Lorrain et Lézarde (la plupart polluées avec risque de parasites);
- se baigner au nord de La Trinité (mer dangereuse);
- se baigner à la baie des Anglais (plage peu propre à cause du vent et de la houle qui y rejette des déchets et en raison des mangroves tout autour);
- manger des poissons tels que murènes et barracudas (qui mangent eux-mêmes des poissons de coraux aux vertus toxiques);
- encourager les combats de coqs en y participant (traitement indécent de ces bêtes avant et pendant les combats).
- au registre de la gastronomie, on parle ici de la même cuisine servie qu'en Guadeloupe, avec des desserts comme le blanc-manger coco, les flans au coco et les «doucelettes» (bonbons fondants). On y trouve aussi le *souskaï*, hors-d'œuvre préparé avec des émincés de fruits verts (mangue, papaye, prune de Cythère) avec sauce au citron à l'ail et au piment. Sur la route, on devra goûter le «poulet boucané» (poulet grillé au feu de bois) et la *sinobol* (glace pilée, arrosée de grenadine ou de menthe).

■ Où se renseigner et carnet de contacts

Comité martiniquais du tourisme
Maison de la France
1800 avenue McGill College, bureau 1010
Montréal, QC H3A 3J6
☎ 514-876-9881 ou 866-313-7262
🖳 514-845-4868
www.martiniquetourisme.com
www.franceguide.com
canada@franceguide.com
info@mafrance.ca

Office du tourisme de la Martinique à Paris
2 rue des Moulins
75001 Paris
☎ 01 44 77 86 00
🖳 01 49 26 03 63

Office départemental du Tourisme
rue Ernest Deproge
97200 Fort-de-France
☎ 05 96 63 79 60
🖳 05 96 76 66 93
www.en-martinique.com

Comité martiniquais du tourisme
immeuble Le Beaupré, Schoelcher
☎ 05 96 61 61 77

SOS Médecin: ☎ 05 96 63 33 33

Sur Internet

- *www.outremer.com* (portail des DOM-TOM)
- *www.tourisme-in-france.com/annuaire-du-tourisme-martinique*
- *www.touristmartinique.com*
- *www.antilles-info-tourisme.com*
- *www.welcome2martinique.com*
- *http://handicaptourisme.net* (Martinique accessible)
- *www.lesilesalacarte.com/carte_routiere_ign_martinique* (cartes de la Martinique)
- *http://baignades.sante.gouv.fr* (qualité des eaux de baignade – mer et rivières)

République dominicaine

■ Le long séjour à la dominicaine

En République dominicaine, les longs séjours se consomment principalement en hiver et du côté de Sosúa, Puerto Plata, Cabarete et, depuis quelques années, du côté de la baie de Samaná, à Las Terrenas, sur la péninsule, qui s'étend tout en longueur. C'est facile puisqu'il y a deux routes en sens unique: celle qui longe la plage et, derrière, parallèle, la Calle Duarte, rue principale, souvent surchargée. C'est ici un repaire d'Européens qui ont des bungalows et des chambres à louer. Pour faire ses achats, il faut viser les petites épiceries des villages, qui sont des magasins généraux. On y trouve le minimum essentiel en ce qui concerne les fruits, les légumes et quelques boissons. Pour du poisson et des langoustes, il faut se lier d'amitié avec un pêcheur local ou fréquenter les plages, où l'on propose des variétés grillées à des prix parfois irraisonnables.

 Porter des lunettes ne veut pas dire savoir lire. - proverbe dominicain

Les routes sont d'un état passable à difficile. Les locations de voitures sont très coûteuses et, si l'option vous intéresse, prenez soin de tout vérifier sur votre véhicule avant la prise en charge. Car après, il sera trop tard: une bosse, un pneu déficient, une lumière ou un rétroviseur manquants sont généralement surévalués en matière de remboursement... Il n'y a pas de limite de vitesse, mais simplement des limites de corruption chez le policier moyen... Pour un voyagiste local (aventures dans l'arrière-pays et au bord de l'océan en vélo) qui redonne 20% de ses profits aux écoles locales: Iguana Mama *(www.iguanamama.com)*.

■ L'hébergement long séjour

Des appartements aux villas

Les unités d'hébergement pour les longs séjours bénéficient pour plusieurs d'un espace très aéré. Si le tourisme se développe dans l'île, le produit long séjour aussi. Pour l'heure, voici quelques adresses:

- Villa Taina à Cabarete *(www.villataina.com)*: chambres avec terrasse ou balcon (demandez une chambre côté plage); gratuités pour les enfants de moins de 12 ans.
- La Catalina, à Cabrera *(www.lacatalina.com/f_index.html)*: 30 chambres et appartements avec balcon.
- Villa à louer à Las Terrenas *(www.villapapaya.com/fr/villa.html)*: chambres à coucher dans une maison de style caraïbe, avec piscine privée à 100 m de la plage des baleines.
- Hôtel Moorea Beach, à Las Galeras *(www.hotelmoorea.com)*: chambres et appartements.
- Villas Paloma *(www.lasterrenas.free.fr)*: petites villas à Las Terrenas.
- Hôtel Iguana, à Las Terrenas *(www.iguana-hotel.com)*: bungalows pour deux à six personnes.
- Hôtel San Ferreol, à Las Terrenas *(www.san-ferreol.com)*: bungalows avec cuisinette.
- pour des appartements et copropriétés à Cabarete: *www.velerobeach.com*

Si l'on préfère l'intérieur du pays (pour tout le long séjour ou en partie), c'est à Constanza, près du Pico Duarte, qu'on retrouve l'hôtel Altocerro (☎*809-539-1553/1429, www.altocerro.com)*. Situé à flanc de colline, ce complexe d'hébergement compte plusieurs villas individuelles équipées d'une cuisinette. Chambres avec vue sur les montagnes, les chevaux et les cueilleurs d'ail. Balcon pour sérénités nocturnes. Possibilité d'avoir une villa pour six personnes avec cheminée et deux balcons.

L'avantage de «long-séjourner» à Constanza réside dans la proximité du Pico Duarte (3 087 m au-dessus du niveau de la mer). Pour son exploration, allez jusqu'au village de La Cienega. Demandez guides et mules (trois jours aller-retour). Vous devez vous munir auparavant d'un permis à l'entrée du parc ou à Jarabacoa au bureau d'information touristique. Si vous voulez partir de cet endroit, le Rancho Baiguate (☎*809-696-0318)* organise des excursions.

«*Cochez oui, cochez non*»

Les tentants...
> le coût de la vie relativement bas;
> la facilité à rencontrer les résidants;
> un bon choix de plages.

Les irritants...
> difficile de ne pas être autre chose que touriste;
> l'état des routes;
> la sécurité quelquefois hasardeuse la nuit.

■ On retient l'attention sur...

- le sourire des Dominicains et le mariage «plage et aventure nature». Le «long-séjouriste» est aussi appelé à faire une tournée de la cuisine du pays: le *sancocho* (un mélange de sept viandes en ragoût avec des légumes), le *chivo guisado* (cabri mariné dans le rhum avec oignons, poivrons, ail et origan), le *pica pollo* (poulet très grillé avec des bananes plantains frites), ainsi que les très surprenants *mondongos* (tripes de bœuf ou de porc, selon l'abattage, braisées ou grillées, à déguster avec un jet de jus de lime). Les marques de bières locales sont Presidente Quisqueya, Bohemia et Soberana, tandis que les rhums sont Brugal, Barceló et Bermúdez.

On évite aussi de:

- négocier le taux de change dans la rue;
- se rouler dans le sable de beaucoup de plages où les chiens errants sont nombreux (royaume de la puce de sable);
- se laisser guider par les rabatteurs de logements aux aéroports;
- dire oui le premier jour aux premiers marchands de babioles, aux faiseuses de tresses, aux ouvreurs d'huîtres et aux spécialistes de la langouste grillée (vous serez leur proie pendant tout votre séjour);
- manger du mérou et du barracuda (ciguatera);
- les plages désertes avant Nagua (rouleaux et courants);
- rouler la nuit (de jour c'est anarchique, la nuit ne porte pas conseil).

Un mot sur la santé

Pas de vaccins requis car le risque de bilharziose est modéré, mais les maladies transmises par les arthropodes, notamment la dengue, sont répandues. Les maladies transmises par l'eau et les aliments sont fréquentes; parmi elles figure la ciguatera, une toxi-infection alimentaire due à l'ingestion de certains poissons. Quant à la «turista» (diarrhée du voyageur), c'est au touriste de faire attention à ce qu'il mange.

■ Où se renseigner et carnet de contacts

Bureau de tourisme de la République dominicaine
2080 rue Crescent
Montréal, QC H3G 2B8
☎514-499-1918 ou 800-563-1611
📠514-499-1393
www.godominicanrepublic.com
montreal@sectur.gov.do

Office de Tourisme de la République dominicaine
11 rue Boudreau
75009 Paris
☎01 43 12 91 91
📠01 43 12 91 93
www.amba-dominicaine-paris.com

Alliance française à Saint-Domingue (*Alianza Francesa*)
Horacio Vicioso n° 103, Centro de los Héroes
Santo Domingo
☎532-2844
📠535-0533
www.afsd.net/es/index.php

Sur Internet

- *www.livio.com* (vie quotidienne)
- *www.dominicanrepublic.com*
- *www.webdominicana.com*

L'Europe

1. Aix-en-Provence
2. Alba
3. Antibes
4. Barcelone
5. Bilbao
6. Bra
7. Cadix
8. Cassis
9. Céphalonie
10. Collioure
11. Cordoue
12. Corfou
13. Costa Blanca
14. Dubrovnik
15. Faro
16. Florence
17. Fréjus
18. Ithaque
19. Marbella
20. Menton
21. Naples
22. Sagres
23. Saint-Jean-de-Luz
24. San Sebastián
25. Sicile
26. Sienne
27. Torremolinos
28. Turin
29. Venise
30. Zadar

L'Europe

En Europe, dans la même journée, en hiver, on peut se dorer sur une terrasse en bord de mer pour ensuite aller skier à la montagne. Les «long-séjouristes» passionnés de ski et d'autres sports de glisse d'hiver peuvent ainsi, dans un espace-temps fort réduit, combiner dégustation de fruits de mer sous le soleil au bord de l'eau et dégustation de flocons en pente descendante...

Sur le Vieux Continent, les distances assez courtes entre les pays riches sur les plans historique et gastronomique offrent tout le loisir de faire beaucoup de visites au cours d'un même long séjour. Par contre, il faudra toujours tenir compte que saison hivernale en bord de crique est synonyme de bon nombre d'hôtels et de restaurants fermés. Aussi, avec l'euro, les prix ont grimpé partout, et l'on observe certaines surenchères du côté de la France et de l'Italie. Le Portugal, qui autrefois était considéré comme un pays bon marché, s'est ajusté aux tarifs pratiqués par ses voisins européens.

Espagne

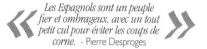

Les Espagnols sont un peuple fier et ombrageux, avec un tout petit cul pour éviter les coups de corne. - Pierre Desproges

■ Le long séjour à l'espagnole…

Les longs séjours en Espagne demeurent une tradition hivernale pour les aînés qui ne supportent plus les grandes chaleurs estivales ni les hordes de jeunes qui s'agglutinent sur les plages. Les «long-séjouristes» y coulent donc de beaux jours surtout en bord de mer. Si Torremolinos et Marbella ont été les premières destinations à recevoir ce tourisme hivernal, le reste de la Costa del Sol et la Costa Blanca ont emboîté le pas depuis.

«Cochez oui, cochez non»

Les tentants…

> les plages sont presque désertes;

> des transports pratiques et accessibles par autocar ou par train entre villages et provinces voisines;

> en quelques heures, on passe du bord de la mer à des tonnes d'histoire et d'architecture.

Les irritants…

> les commerçants ne sont pas tous aimables;

> la barrière de la langue (utilisation d'anglais approximatif comme moyen de communication);

> cherté de la vie à Barcelone et à Marbella;

> appartements sans grand charme dans de grands immeubles à Torremolinos;

> bétonnage excessif de la Costa del Sol.

■ L'hébergement long séjour

On trouve le plus souvent sur ces côtes des appartements (du studio au quatre-pièces) dans des immeubles adjacents aux plages. Il faut noter qu'en période hivernale la moitié des magasins et des restaurants sont fermés, ce qui donne un choix peu étendu en matière de babioles à rapporter et de paellas à engouffrer. Pour les longs séjours en Espagne, la ville de Barcelone attire une clientèle plus jeune qui veut s'imprégner de la *movida* et des nuits barcelonaises. Elle abrite des appartements disponibles dans la vieille ville et dans la ville nouvelle.

On peut dénicher quelques options de longs séjours hôteliers sur la Costa de la Luz, cette bande du littoral atlantique de l'Espagne déployée de part et d'autre de Cadix. La région attire une partie de la jet-set européenne rebutée par les foules de la Costa del Sol. On y trouve d'immenses plages et une grande qualité hôtelière.

Voici quelques références pour l'hôtellerie long séjour:

- à Barcelone: *www.apartmentsramblas.com* et *www.rentaflatinbarcelona.com*

- une adresse en Andalousie, à Cordoue: *www.homelidays.com*

- pour Madrid: les appartements répertoriés sur le site *www.capitalapartments.com* sont très bien dans le quartier de Salamanque.

■ On retient l'attention sur...

· les mois les plus prisés par les «long-séjouristes» se situent surtout de décembre à mai;

· le climat est doux et tempéré;

· les tentations bien légitimes du côté du Pays basque espagnol au nord-est, où l'on trouve, entre Bilbao et San Sebastián, une kyrielle de petites plages et de jolis ports avec des vignes jamais très loin;

· pour visiter les attractions touristiques, châteaux et musées, il vaut mieux le faire tôt dans la journée, évitant ainsi les hordes d'autocars qui, même hors saison, sont nombreuses;

· les rabatteurs sur la Costa del Sol qui, pour plusieurs, fournissent des appartements minables, souvent bruyants et d'une propreté douteuse.

■ Où se renseigner et carnet de contacts

Bureau du tourisme d'Espagne
2 Bloor Street West, Suite 3402
Toronto, ON M4W 3E2
☎ 416-961-3131
🖶 416-961-1992
www.tourspain.toronto.on.ca
toronto@tourspain.es

Office du Tourisme Espagnol
43 rue Descamps
75784 Paris Cedex 16
☎ 01 45 03 82 50
🖶 01 45 03 82 51
www.spain.info/fr/TourSpain

Office Espagnol du Tourisme
Rue Royale, 97
1000 Bruxelles
☎ 32 (0) 2/280.19.26
🖶 32 (0) 2/230.1.47
www.tourspain.be/adresses_fr.htm

Office de Tourisme d'Espagne
Spanisches Fremdenverkehrsamt
Seefeldstrasse 19
8008 Zürich
☎ 41 (0) 44 252 79 30
🖶 41 (0) 44 252 62 04
www.tourspain.es

France (Côte d'Azur, Provence, Languedoc et Pays basque)

> *En Provence, le soleil se lève deux fois, le matin et après la sieste.* - Y. Audouard

■ Le long séjour à la française...

Depuis plus d'un siècle, la Côte d'Azur a toujours abrité, en hiver, une clientèle parmi ses hôtels ou ses demeures de style. En ce temps-là, on parlait de villégiature pour les têtes couronnées ou la bourgeoisie. Aujourd'hui, les têtes couronnées sont moins nombreuses, et les bourgeois ont acheté des maisons. Si les classiques restent Nice, Cannes et Antibes Juan-les-Pins, on trouve des options intéressantes et plus abordables du côté des villes comme Menton, Cassis, Saint-Raphaël, Fréjus et Sainte-Maxime.

Deux nouvelles destinations du sud de l'Hexagone s'ajoutent depuis quelques années à l'offre habituelle: Collioure, sur la côte languedocienne, à portée de voiture de Barcelone, et Saint-Jean-de-Luz, sur la côte basque, à proximité de San Sebastián et de Bilbao. Ces deux villes balnéaires ont l'avantage d'être situées à quelques minutes des Pyrénées (orientales pour Collioure et atlantiques pour Saint-Jean-de-Luz), avec des villages qui pratiquent encore l'art de la vraie boulange et de la charcuterie à la carte. Partout, on retrouve, selon les villages, des marchés une ou deux fois par semaine, qui mettent l'accent dans les spécialités locales.

■ L'hébergement long séjour

Une clientèle tous azimuts fréquente les résidences hôtelières (style Pierres & Vacances ou Citadines) ou loue des appartements meublés dans les villes et villages de bord de mer.

Certains «long-séjouristes» optent pour la location d'une maison à l'intérieur des terres (Logis de France), dans des écrins colorés nommés Aix en Provence, les Baux, l'arrière-pays varois, le début du Lubéron et l'Avignonnais. Dans le cas du Lubéron, qui est devenu très populaire, le prix des hôtels et des locations est par contre exagéré. On peut alors se rabattre sur le Comtat Venaissin, juste en bordure, et avec des prix beaucoup plus doux. Si l'on peut quelquefois négocier les prix à la baisse en période hivernale (hormis les dates de Noël et du jour de l'An ainsi que durant les vacances de Pâques), l'exercice n'est toutefois pas monnaie courante en France.

Du côté de Collioure, certains optent pour un séjour mer-montagne avec hébergement du côté de la montagne (quelquefois en bergerie dans des gîtes) dans des villages comme Prades ou Olette, ou encore des stations comme Bourg Madame et Font Romeu, pour de la randonnée sur le sentier du GR10, qui traverse les Pyrénées d'ouest en est, et des ascensions vers le mont Canigou.

Du côté de Saint-Jean-de-Luz, un séjour mer-montagne est également possible du côté de la montagne basque, aux alentours de Saint-Étienne-de-Baïgorry, de Saint-Jean-Pied-de-Port ou plus loin vers Moléon. On peut également se rendre aux abords d'Espelette et de Cambo les Bains, pour le piment et Edmond Rostand, mais cette région est également très touristique, avec des prix légèrement gonflés.

Voici quelques pistes pour l'hébergement:

· Logis de France: *www.logis-de-france.fr*

· Gîtes de France: *www.gites-de-france.fr* et *www.france-gites.com*

· Citadines: *www.citadines.com*

· Pierre & Vacances: *www.pierreetvacances.com*

«Cochez oui, cochez non» ✓

Les tentants...
> la langue;
> la proximité de la mer et de la montagne;
> les différences de paysages et de mentalités à quelques kilomètres de distance;
> des traditions culturelles omni-présentes;
> des transports pratiques et accessibles entre villes et villages, en autocar ou en train.

Les irritants...
> la cherté de la vie;
> des complications ubuesques lorsqu'on requiert les services de l'administration locale;
> une météo imprévisible.

Tentations parisiennes en formule pré- ou post-long séjour en région:

- *www.letsparis.com*
- *www.panacherental.com*
- *http://untoitaparis.provaction.com*
- *www.parkandsuites.com/fr/longs-sejours.php* (résidences hôtelières à Paris, Lyon et Annemasse)

Enfin, on peut également s'adresser aux offices du tourisme ou aux syndicats d'initiative des villes ou villages visités, qui disposent de listes d'appartements meublés.

■ On retient l'attention sur...

- Les longs séjours dans ces régions se font surtout de décembre à mai;
- le climat doux en bord de mer, et la neige dans les Alpes-de-Haute-Provence et les Pyrénées, surtout de décembre à février;
- pour Internet, les bureaux de poste PTT offrent de plus en plus de bornes d'accès;
- pour des économies, faire ses achats dans les centres commerciaux comme Carrefour, Leclerc ou Intermarché, mais ne pas passer outre les charmants marchés qui s'installent chaque semaine dans les villes et villages (légumes, fruits, volailles, etc.).

■ Où se renseigner et carnet de contacts

Maison de la France
1800 avenue McGill College, bureau 1010
Montréal, QC H3A 3J6
☎ 514-876-9881 ou 866-313-7262
▤ 514-845-4868

Maison de la France
65 rue Ducale
1000 Bruxelles
☎ 32 25 13 58 86
http://be.franceguide.com

Office de Tourisme de France
Französisches Verkehrsbüro
Rennweg 42
8001 Zürich
☎ 41 (0)900 90 06 99
▤ 41 (0)44 217 46 17

Sur Internet

- *www.franceguide.com* (avec une section intitulée «Votre Maison en France», où il est possible d'obtenir de l'information sur les prestataires français et canadiens qui proposent les services de location ou d'échange de maisons)
- *www.car-coach-bus.fr/tourisme-France.html*
- *www.pays-basque-online.com* et *www.lepaysbasque.net* (villes du Pays basque)
- *www.saint-jean-de-luz.com*
- *www.tourisme.fr*
- *www.decouverte-paca.fr* et *www.portail-paca.net* (renseignements sur la Région PACA – Provence, Alpes, Côte d'Azur)
- *www.ste-maxime.com*
- *www.autoeurope.com/scooters.cfm* (location de scooters)

Grèce

On ne vend pas le poisson qui est encore dans la mer.
- proverbe grec

■ Le long séjour à la grecque...

Il n'existe pas de longs séjours du côté des Cyclades ou d'Athènes. Les longs séjours se pratiquent en hiver, du côté des îles Ioniennes – Céphalonie, Ithaque, Corfou –, là où les hôtels familiaux cassent leurs prix.

Ici on n'a pas besoin de guide. Impossible de se perdre. La route fait le tour des îles, et, géographiquement, rien n'a changé depuis l'époque d'Homère. Ce qui a changé, c'est le nom des menus (table d'hôte à la Télémaque ou dessert de Pénélope), ainsi que beaucoup de chiens qui se nomment *Argus*. L'usage de la bicyclette et du scooter est le plus répandu, ainsi que la marche. Les plages sont formées de galets ronds qui donnent aux eaux les léchant ces tons de bleu si merveilleux.

Les plages de Mirtos et d'Antisamos à Céphalonie, ainsi que celles de Caminia, Filiatro, Skinos, Poli et Pera Pighadi à Ithaque, sont à conseiller. En bateau, on peut choisir n'importe quelle crique.

■ L'hébergement long séjour

On déniche le plus souvent des résidences et des villas touristiques qui constituent des gîtes autonomes de tailles diverses ainsi que de petites structures familiales qui donnent le ton de l'offre raisonnable en matière d'hébergement. On peut pousser jusqu'à Corfou, mais les prix restent élevés, comme dans les Cyclades.

Sur l'île de Céphalonie, à Sami, l'hôtel Athina Beach *(mai à oct; ☎06740 22770, ▤ 06740 23040, athina@kef.forthnet.gr)* est une bonne adresse.

Autre bonne adresse, à Vathi cette fois: l'hôtel Mentor *(☎0674 32433 ou 33033, ▤ 0674 32293)*.

Sur l'île d'Ithaque se trouve un hôtel de charme: le Perantzada Art *(☎0674 33496, ▤ 0674 33493, arthotel@otenet.gr)*, avec une très jolie décoration, des formes épurées et des tarifs hors saison.

«*Cochez oui, cochez non*»

Les tentants...
> la possibilité de faire le tour des îles en vélo ou en scooter;
> une gastronomie tournée vers le poisson et les fruits de mer;
> le coût de la vie abordable;
> la facilité à s'approvisionner.

Les irritants...
> la barrière de la langue (sauf les commerçants qui parlent un peu l'anglais);
> les plus belles plages sont accessibles seulement par bateau.

■ On retient l'attention sur...

- Dans ces îles, les longs séjours se font surtout de janvier à mai;
- le climat est doux;
- sur les îles de Céphalonie et d'Ithaque, on peut bien sûr suivre les traces d'Ulysse, le héros de *L'Odyssée* d'Homère (les deux îles revendiquent le palais, la fontaine et la plage où a échoué ce dernier) et partir à la découverte des vignes – avec dégustations – et des grottes marines en compagnie de guides parlant un anglais incertain, un allemand circonspect et un français inventé;
- les poteries vendues au bord du chemin ont un air antique, mais elles ont été façonnées et cuites la semaine précédente;
- les «long-séjouristes» inconditionnels de la marche choisissent souvent les îles du Dodécanèse. Ils parcourent aussi les sentiers du côté de Rhodes, de Karpathos et de Kos. Quelques itinéraires sont suggérés dans des guides généraux qui n'indiquent toutefois que les points de départ et d'arrivée et le nombre de jours envisagés. Aux éditions Graf, le guide *Walking Greek Islands*, écrit par Dieter Graf, demeure une référence. Au menu: une quarantaine de parcours à travers une dizaine d'îles avec cartes et itinéraires assez précis *(www.graf-editions.de/kykladen/ walking_rhodes.html)*.

■ Où se renseigner et carnet de contacts

Office national hellénique du tourisme
1700 place du Frère André
Montréal, QC H3B 3C6
☎ 514-871-1535
🖷 514-871-1498
www.gnto.gr

Office national hellénique du tourisme
3 avenue de l'Opéra
75001 Paris
☎ 01 42 60 65 75
🖷 01 42 60 10 28
www.grece.infotourisme.com
www.iles-grecques.com
eot@club-internet.fr

Office du tourisme hellénique
172 avenue Louise-Louizalaan
Bruxelles 1050
☎ (02) 647 57 70
🖷 (02) 647 51 42

Office de tourisme de Grèce
Griechisches Verkehrsbüro
Löwenstrasse 25
8001 Zürich
☎ 41 (0)44 221 01 05
🖷 41 (0)44 212 05 16

Pour réservations d'excursions, location de voitures et de bateaux: **Cephalonia Holidays** *(☎0671 023281, 🖷0671 028010, cefaloniaholidays@ionion.com)*.

Sur Internet

- *www.greekferries.gr* (itinéraires et horaire des traversiers)
- *www.all-hotels.gr*
- *www.culture.gr*
- *www.ando.gr/eot* (îles de Rhodes et du Dodécanèse)
- *www.travelling.gr*
- *www.gogreece.com*

Italie

Les Italiens sont des Français de bonne humeur. - Jean Cocteau

■ Le long séjour à l'italienne…

Il existe très peu de longs séjours en Italie, si l'on excepte la Sicile et la côte ligurienne ainsi que la Toscane, mais à des prix assez élevés en matière d'hébergement. Depuis quelques années, une région peu connue, la région de Langhe, près de Turin, qui offre un rapport qualité/prix très intéressant, attire un nombre suffisant de «long-séjouristes». Cette région est la destination italienne qui surpasse la Toscane en tourisme gastronomique, mais l'histoire en moins. Entre autres au programme: un itinéraire sympathique appelé la «route de la noisette», qui passe par les villages de Rochetta Belbo, Cortemilia, Cravanzana, Feisoglio, Bossolasco, Cissone, Albarello et Benevello.

En ce qui concerne la «route des vins», les cépages sont là: *barolo, barbasresca, barberam nebbiolo, dolcetto, pelaverga, freis, grignolina, arneis, favorita, moscato* et *brachetto*. Alba est une ville à conseiller. En plus d'être la capitale de la truffe blanche, c'est également une ville agréable à vivre (marché de la Via Maestra qui distille tous les produits régionaux), avec en fin de course des parcours quotidiens dans les villages avoisinants pour découvrir les producteurs.

C'est dans cette région également qu'a commencé le mouvement *Slow Food*, à Bra, amorcé et dirigé par Carlo Petrini, qui se bat pour renouer avec les plaisirs de la bonne chère et pour sauvegarder les aliments en voie de disparition.

■ L'hébergement long séjour

En ce qui a trait aux villes comme Rome, Florence, Sienne, Naples ou Venise, il se développe depuis quelques années une formule d'hébergement en monastère (qu'on retrouve également en France, en Belgique et en Suisse) pour des périodes assez longues, là où la prière, la quête spirituelle et quelquefois le chant sont à l'honneur. Un ouvrage qui s'intitule le *Guide Saint-Christophe* répertorie les principales sources d'hébergement en monastère en Europe.

Quelques pistes pour l'hébergement en Italie:

- appartements et logements indépendants: *www.vacanzeinfamiglia.it*
- version italienne des Logis de France: *www.logis.it*
- location de maisons: *www6.cuendet.com*
- séjours à la ferme: *www.amecom.it*
- séjours en monastère: *www.sixtina.com*
- des liens italiens avec les Gîtes ruraux français qu'on nomme **Euro gîtes**, une formule rurale déclinée dans la région de Sabina, à 70 km au nord-est de Rome. Les associations rurales membres d'Euro gîtes se trouvent en Belgique, en Autriche, en République tchèque, en Grèce, en Croatie, en Espagne, au Royaume-Uni… En tout, 24 pays: *www.eurogites.org*; pour l'Italie: *www.bestofsabina.it*.
- pour des adresses en milieu rural: *www.agriturist.it*, où toutes les régions de la Botte transalpine sont représentées. Il y a en pour tous les goûts et à tous les prix.

· appartements répertoriés sur le site Internet de la compagnie aérienne italienne à rabais: *www.volareweb.com.*

■ On retient l'attention sur...

· Les longs séjours en Italie se pratiquent toute l'année, sauf pendant la période estivale, où le tourisme abonde et les prix gonflent;
· en hiver, le climat dans le Sud et en Sicile est toujours fort agréable et tempéré, tandis que dans le Nord, c'est la neige pour tous dans les Dolomites et une bonne petite laine du côté de Venise ou de Naples.

■ Où se renseigner et carnet de contacts

Office national italien du tourisme
1 place Ville Marie, bureau 1914
Montréal, QC H3B 2C3
☎ 514-866-7668
www.italiantourism.com

Office national italien du tourisme
23 rue de la Paix
75002 Paris
☎ 08 36 68 26 28
▤ 01 47 42 19 74
www.enit-france.com

Office national italien du tourisme
Avenue Louise, 176
Louizalaan
1050 Bruxelles
☎ 00322 - 6471154
▤ 00322 - 6405603

Office national italien du tourisme
Staatliches Italienisches Fremdenverkehrsamt
Uraniastrasse, 32
8001 Zurich
☎ 0041 - 43 466 40 40
▤ 0041 - 43 466 40 41

Sur Internet

· *www.enit.it*
· *www.langhe.com*
· *www.emmeti.it*
· *http://italie.ilcomuneinforma.it*
· *www.autoeurope.com/scooters.cfm*
  (location de scooters)

«Cochez oui, cochez non»

Les tentants...
> une architecture et une culture omniprésentes;
> une gastronomie de haut niveau;
> une facilité en matière de transport entre les villes et villages (autocar ou train);
> un magasinage aussi aisé qu'agréable, et ce, partout.

Les irritants...
> peu d'adresses à budget modéré;
> le coût de la vie élevé;
> la barrière de la langue.

Portugal

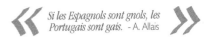

*Si les Espagnols sont gnols, les
Portugais sont gais.* - A. Allais

■ Le long séjour à la portugaise...

On dénombre la plupart des longs séjours du côté de l'Algarve, principalement entre Sagres et Faro, pour y jouir d'un climat agréable en hiver et de la présence de terrains de golf ouverts toute l'année. La principale clientèle est britannique et germanique, ce qui donne le ton à certaines formes de restauration et de produits de première nécessité avec lesquels les commerçants veulent absolument les charmer.

On retrouve bien sûr de petits restaurants locaux qui apprêtent la morue dans tous ses états et utilisent les anchois comme garniture de tous les jours. Avec l'euro, les prix ayant fait un bond, les «long-séjouristes» ont tendance à choisir un lieu d'hébergement avec cuisinette.

■ L'hébergement long séjour

Les sources d'hébergement sont principalement des appart-hôtels ou des hôtels qui pratiquent des prix doux pendant la basse saison et des appartements en copropriété qui ont bétonné la côte. Vu l'explosion du tourisme dans cette région au cours des 20 dernières années, il faut faire attention tout de même aux locations proposées dans les journaux ou par des rabatteurs peu scrupuleux. On peut alors tomber sur des personnes qui s'improvisent hôteliers ou chambreurs.

*«Cochez oui,
cochez non»*

Les tentants...
> les plages plutôt désertes à cette période;
> l'amabilité des résidants;
> une bonne cuisine variée (grillades, poissons et fruits de mer);
> une facilité à faire ses achats un peu partout.

Les irritants...
> une côte bétonnée à l'excès par endroits;
> la barrière de la langue (les commerçants s'expriment en anglais et en allemand, car beaucoup de «long-séjouristes» proviennent du Royaume-Uni et de l'Allemagne);
> les transports en autocar sont un peu anarchiques.

Les conditions de sécurité et d'hygiène peuvent être à la limite du supportable (ex.: partage d'une salle de bain et de toilettes avec quatre ou cinq appartements). Pour éviter ce genre d'inconvénient, traiter avec les autorités touristiques locales qui assurent en matière de contrôle saisonnier des prestations offertes.

Quelques pistes:

· l'office de tourisme de Faro offre de bons renseignements en matière d'hébergement, de circuits et de balades à faire dans l'Algarve rural: *www.cm-faro.pt*

· pour de l'information sur les appart-hôtels et les appartements à louer dans la région de l'Algarve: ☎ *289 80 04 00, www.visitalgarve.pt*

· pour Lisbonne, il existe une entreprise récente qui possède une liste de lieux d'hébergement assez longue pour le centre-ville: *www.lisbon-apartments.com*

■ On retient l'attention sur…

· Les longs séjours se font surtout de janvier à mai. Le climat est très doux, et le sud du Portugal détient des records de jours d'ensoleillement en Europe;

· les trains quotidiens au départ de Faro et de Sagres pour Lisbonne;

· on échappe au béton des villes les plus touristiques en se rabattant sur des villages comme Odeceixe, Amoreira, Tavira ou Fuzeta;

· les plages de la lagune de Ria Formosa;

· le marché du samedi de Loulé, à quelques kilomètres de Faro, avec tout l'Algarve agricole qui s'y donne rendez-vous. On y trouve également de l'artisanat d'inspiration maure sous forme de vaisselles et de poteries;

· les jeunes entre 18 et 35 ans qui fréquentent Albufeira; des jeunes venus du monde entier qui profitent des animations continuelles. Autre plage animée 24 heures sur 24: Praia Da Rocha plus calme hors saison;

· le lac du barrage d'Arade, au nord de Silves, un endroit tranquille et serein.

■ Où se renseigner et carnet de contacts

Portugal Trade and Tourism Commission
60 Bloor Street West, Suite 1005
Toronto, ON M4W 3B8
☎ 416-921-7376
▤ 416-921-1353
www.visitportugal.com
icep.toronto@icep.pt

Office du Commerce et du Tourisme Portugais
135 boulevard Haussmann
75008 Paris
☎ 01 56 88 30 80 / 01) 56 88 31 90
▤ 01 56 88 30 89
www.portugalmania.com
icepar@worldnet.fr

Office du Commerce et du Tourisme Portugais
5 Rue Joseph II
BP 3 1000, Bruxelles
☎ 02 230 52 50
▤ 02 231 04 47
icepbruxelas@mail2.icep.pt

Office du Commerce et du Tourisme Portugais
15 Badenerstrasse
8004 Zurich
☎ 01 241 03 00
▤ 01 241 00 12.
icep@icep.ch

Sur Internet

· *www.portugal.org*
· *www.portugalinsite.pt*
· *www.visitalgarve.pt*

Destinations européennes émergentes

■ La Croatie

Destination très courtisée depuis quelques années, la Croatie voit son succès fleurir sur toute la côte, de Zadar à Dubrovnik. Pour de longs séjours en hiver, l'île de Korcula, située en face de Dubrovnik et de Ston, demeure un excellent endroit. Son hôtellerie long séjour se traduit par des maisons de différentes tailles à louer. Un contact: pour louer une maison au bord de l'Adriatique, Dr Zivan Filipi (le spécialiste de l'histoire des matins et de Marco Polo; ☎ *385 20 711 173*). Pour des renseignements généraux sur Korcula (fêtes de Pâques, festival d'été, Marco Polo, etc.): ☎ *385 20 715 701*, 🖥 *385 20 715 866*, *www.korcula.net.*

On peut aussi dormir dans un phare *(http://fr.croatia.hr)*. Il y a plus d'une cinquantaine de sentinelles de la mer éparpillées au large, de Zadar à Dubrovnik, qui offrent l'hébergement à de très bons prix.

 L'eau arrive à laver beaucoup de choses, mais pas les mauvaises langues.
- proverbe croate

■ L'Allemagne

Berlin, la capitale, est souvent choisie comme ville de longs séjours, et ce, par une clientèle qui se situe entre 30 ans et plus de 60 ans. Les motifs du séjour sont l'histoire, l'art, la vie nocturne, les expositions, la fébrilité de la création (mode, danse, arts visuels). On trouve les appartements à prix intéressants dans le quartier de Kreuzberg.

Pour des appartements à Berlin: *www.all-berlin-apartments.com* et *www.berlin.de*

Pour des contacts directs avec des propriétaires d'appartements: *www.secondcasa.com*

Pour faire une demande plus pointue: *rooms@zimmervermittlung-berlin-kreuzberg.de*

■ La Grande-Bretagne et l'Irlande

Londres est la ville des longs séjours en appartements privés, qui demeurent toutefois très chers. Pendant le printemps ou l'automne, on retrouve certains habitués qui fréquentent les plages désertes du Devon et de la Cornouaille, ou qui se laissent tenter par un long séjour en Irlande dans le Connemara ou aux abords de Dublin et de Cork.

Quelques pistes:

· appartements à Londres: *www.athomeinlondon.co.uk*, *www.visitlondon.com*, *www.astons-apartments.com* et *www.lhslondon.com*
· pour des maisons en région: *www.landmarktrust.org.uk*
· pour rester sur l'île de Bardsey au large du Pays de Galles (dans une ancienne grange ou une ancienne chapelle avec croix celtes dans le jardin): *www.bardsey.org*

■ Autres références pour l'Europe

· Transporteurs à rabais en Europe: *www.LowCostAirlinesEurope.org*
· Location d'appartements à Budapest, en Hongrie: *www.cote-est.net*
· Location d'appartements principalement en Europe: *www.apartmentsapart.com*

Le Maghreb

P our cette partie de l'Afrique du Nord, l'intérêt est porté sur le Maroc et la Tunisie, les deux pôles les plus importants en ce qui concerne les longs séjours au Maghreb. Si ces deux destinations se ressemblent, elles sont pourtant très différentes. Pour la Tunisie, on peut parler sans équivoque d'un tourisme qui a de fortes prétentions balnéaires avec des stations de différentes tailles qui possèdent de très belles structures hôtelières. Au sud, à partir de Djerba, le mélange se fait avec les premières dunes du désert, assurant aux baigneurs quelques excursions en 4x4 ou à dos de chameau. Le Maroc tient pour sa part dans Agadir et Essaouira les clés des longs séjours balnéaires, mais compte également dans ses villes impériales comme Fès et Marrakech des occasions d'entrer dans l'histoire du pays (palais, musées et mosquées) et de faire des excursions dans les premiers contreforts du désert ou des randonnées dans l'Atlas.

Le Maghreb

1. Agadir
2. Carthage
3. Casablanca
4. Djerba
5. Essaouira
6. Fès
7. Marrakech
8. Monastir, Sousse et Port El-Kantaoui
9. Nabeul et Hammamet
10. Tabarka
11. Taroudannt
12. Vallée du Dadès
13. Zarzis

ALBANIE
GRÈCE
ITALIE
ESPAGNE
PORTUGAL

Mer Méditerranée
OCÉAN ATLANTIQUE

TUNISIE
Tunis
LIBYE
Tripoli

ALGÉRIE
Alger

MAROC
Rabat

MAURITANIE
Nouakchott

MALI
NIGER
TCHAD
SOUDAN
BURKINA FASO
SÉNÉGAL
CAP-VERT

©ULYSSE

Maroc

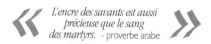

*L'encre des savants est aussi
précieuse que le sang
des martyrs.* - proverbe arabe

■ Le long séjour à la marocaine…

Le long séjour au Maroc est surtout concentré à Agadir. Mais on signale également la présence de «long-séjouristes» du côté d'Essaouira et de Taroudant, deux villes qui n'accumulent pas la masse touristique d'Agadir. Cette dernière est devenue en quelques années le repaire des retraités français. On retrouve également les plus nantis dans des riads à Marrakech, qui veulent ainsi profiter de la vue de la médina avec, pendant le séjour, des excursions dans le désert ou dans la vallée du Dadès. Il faudra noter le mois du ramadan (variable d'une année à l'autre), pour éviter de s'habiller ou de manger avec ostentation durant la journée…

■ L'hébergement long séjour

Le Maroc a accru depuis quelques années son offre touristique en matière d'hébergement. On y trouve des hôtels plus petits, un peu moins étoilés, mais avec un accueil et un service très convenables. Il s'est formé également tout un réseau de propriétaires de maisons appelées «riads», dans les villes phares comme Marrakech, Fès et Casablanca, qui en ont fait des résidences de charme. On les découvre à l'intérieur des médinas ou quelquefois aux portes du désert. Il y a aujourd'hui plus de 600 riads à Marrakech, dont certains sont à la limite de l'escroquerie avec des propriétaires qui s'improvisent hôteliers du jour au lendemain Alors, prudence, notamment si l'on vous demande de prépayer la totalité de votre location sur Internet.

Un site récent répertorie ces différents lieux d'hébergement appelés «riads» et met en contact les internautes et les propriétaires de maisons traditionnelles dans une dizaine de villes. Il y a sur ce site près de 300 maisons à louer, riads, fermes et palais. Certains sont présentés avec photos, d'autres avec vidéos et visites à 360°. Formulaire de réservation en ligne à la clé *(www.terremaroc.com)*.

D'autres sites où naviguer:

- *www.riads.fr*
- *www.marrakech-medina.com*
- *www.maroc-selection.com*
- *http://riad-marrakech.3wkom.net*
- *www.sejour-riad-marrakech.com*

Ceux qui seraient tentés par une auberge dans le désert peuvent consulter le site *www.merzouga-dromadaire.com*. Mais beaucoup de «long-séjouristes» préfèrent les résidences hôtelières du côté d'Agadir, pour ne pas se retrouver seuls et isolés et pour profiter des animations et des excursions offertes par ces établissements.

Également à Agadir, on trouve un terrain de camping pour véhicules récréatifs *(www. atlanticaparc.com)*. Bungalows, maisons mobiles, tentes équipées, animation et resto à

500 m de la plage. Deux autres adresses: *www.camping-essaouira.com* et *www.campingo.com*.

■ On retient l'attention sur…

- Pour faire ses achats, il y a de nombreux supermarchés à Agadir. Ils se trouvent essentiellement dans le centre-ville ou dans le Nouveau Talborjt. Les principaux hypermarchés sont Marjane: Cité résidentielle de Founty; Métro: Route d'Inezgane, à la sortie de la ville; Aswak Essalam: à Essalam, près des cités universitaires; Jawhara Sara, avenue Hassan II *(www.jawharasara.com)*;

Pas de sel pour moi!

Si votre état de santé nécessite un régime alimentaire sans sel, alors là bonne chance! La gastronomie locale ayant la salière généreuse, raison de plus pour privilégier un hébergement vous offrant la pleine autonomie en matière d'approvisionnement alimentaire.

- si vos visites sont fréquentes dans les restaurants, éloignez-vous des hôtels et sites touristiques pour ne pas y dépenser toute votre fortune. Les prix sont les meilleurs là où le Marocain moyen mange, aussi bien pour les couscous, les tajines et les brochettes que pour les cornes de gazelle;

- côté température en hiver, le grand avantage d'Agadir c'est sa douceur durant les mois les plus froids (décembre, janvier, février), alors que les températures oscillent entre 18°C et 25°C. Durant la nuit, la température peut descendre jusqu'à 10°C. À l'intérieur du pays ou dans l'Atlas, les températures nocturnes peuvent être inférieures à 8°C. Prévoyez une petite laine;

- location d'une voiture: en restant en des lieux bien précis, il n'est pas indispensable de louer une voiture. On peut prendre des taxis et des autobus facilement. Cependant, si vous voulez louer une voiture, faites-le à l'aéroport avec les compagnies internationales (ex.: Hertz, Avis). En ville, si les compagnies locales sont moins chères, elles offrent par contre le plus souvent des assurances fantômes et des véhicules qui, dans les petits modèles, ont fait cinq fois le tour de l'Afrique… Les routes principales sont en bon état. Pour l'anecdote, si vous vous en écartez et que vous tombez en panne dans des coins perdus, vous aurez

«Cochez oui, cochez non» ✓

Les tentants…
- aucune barrière de la langue pour les francophones;
- l'hôtellerie et les appartements sont de bonne qualité;
- la facilité à rencontrer des résidants;
- désert accessible au départ de Marrakech et d'Agadir.

Les irritants…
- une insécurité récente en raison des attentats et des arrestations;
- toujours en mode marchandage pour faire ses achats (hormis dans les supermarchés).

alors la compagnie d'enfants qui veulent vous vendre des roses des sables et des anciens du secteur qui s'adonneront à l'évaluation de votre incident...

■ Où se renseigner et carnet de contacts

Office national marocain du Tourisme
1800 avenue McGill College, bureau 2450
Montréal, QC H3A 3J6
☎ 514-842-8112
▤ 514-842-5316
www.tourismemarocain.ca
www.visitmorocco.com
onmt@qc.aira.com

Office du Tourisme Marocain
161 rue Saint-Honoré
75001 Paris
☎ 01 42 60 63 50
▤ 01 40 15 97 34

Office du Tourisme Marocain
402 Avenue Louise
Bruxelles 1050
☎ (02) 646-63-20 ou 646-85-40
▤ (02) 646-73-76

Office du Tourisme Marocain
5 Schifflande
8001 Zurich
☎ (01) 252-77-52
▤ (01) 251-10-44

Sur Internet

· *www.tourisme.gov.ma*
· *www.tourisme-marocain.com*
· *www.visiterlemaroc.com*
· *www.imarabe.org*

Tunisie

■ Le long séjour à la tunisienne...

Les longs séjours en Tunisie s'écoulent surtout durant la saison hivernale sur l'île de Djerba et dans des villes comme Nabeul, Hammamet, Monastir, Zarzis, Port El-Kantaoui ou près de Carthage. L'île de Djerba, point de mire balnéaire du Sud tunisien, doit se visiter hors saison, et pour plusieurs raisons: le climat en automne ou au printemps est toujours doux et l'on évite surtout les hordes de bronzés estivaux. La vie sur le sable et dans les souks devient plus agréable. Les plongeurs se retrouvent le plus souvent dans la presqu'île de Tabarka, au nord. Les «long-séjouristes» qui sont aussi golfeurs seront interpellés par les golfs du côté de Monastir, Sousse, Djerba, Tabarka, Hammamet et Carthage.

Si le métier n'enrichit pas, il met à l'abri du besoin. - proverbe arabe

■ L'hébergement long séjour

Les formules qui offrent de très bons tarifs en période hivernale sont les établissements à appartements (petits studios) et les hôtels de grande qualité. Leur motivation: garder leur personnel occupé pendant la saison plus tranquille...

On remarque également un intérêt pour le tourisme de cure, que cela soit au Complexe Méditerranée à Hammamet ou dans certains hôtels de la chaîne Abou Nawas. Autre exemple d'établissement de cure: le Grand Hôtel des Thermes *(www.djerba-thermalisme.com, info@djerba-thermalisme.com)*, sur l'île de Djerba, situé à quelque 300 m de la plage. Une petite structure de 34 chambres doubles et 26 triples toutes climatisées (dont quatre communicantes) et deux suites appartements. Deux piscines thermales (une couverte et une à ciel ouvert) ainsi que restaurants (barbecue autour de la piscine) ou restauration dans le bâtiment central (sous forme de buffet ou à la carte). Hydromassage, bains de CO_2, bains électrogalvaniques, aérosol thermal, bains et applications de boue et de péloïde, douche à jet ou en immersion, drainage lymphatique, sauna, hammam, bains bouillonnants, cures anti-stress, amincissement... bref, quelques exemples qu'offre cet hôtel sous la férule du Dr Slahéddine Anane, qui, en plus d'être le chef d'orchestre thermal, exerce le métier de dentiste et connaît tout le corps médical de la place. Des atouts intéressants pour plusieurs «long-séjouristes».

«Cochez oui, cochez non»

Les tentants...
> aucune barrière de la langue pour les francophones;
> la qualité exceptionnelle de certains hôtels à des prix doux pendant l'hiver;
> autre douceur de novembre à mai, le climat;
> la facilité à rejoindre les villes de la côte par autocar ou taxi collectif;
> des excursions accessibles dans le désert;
> un des coûts de la vie le plus bas en Méditerranée.

Les irritants
> difficile de ne pas être repéré comme touriste, même après quelques semaines;
> l'hygiène des viandes exposées à l'extérieur, sous le soleil (notre estomac n'est pas habitué) ;
> les constructions massives qui dénaturent Hammamet.

Autre lieu de long séjour à Djerba, les petites maisons et chambres d'hôtes avec services spécifiques pour retraités à l'Amphora Menzel *(www.amphoramenzel.com)*.

Avis aux propriétaires de véhicules récréatifs: la Tunisie est dotée de terrains de camping aptes à vous accueillir, en bord de mer ou dans le désert. Quelques pistes:

- *www.campingo.com/camping-tunisie.htm*
- *www.a-gites.com/plan-liste_villes-27007.html* (location de bungalows dans le pays)
- *www.estetikatour.com* (sans vouloir en faire la promotion, mais une référence tout de même pour les soins esthétiques en Tunisie avec suivi médical au cours du long séjour)

■ On retient l'attention sur...

- Une gastronomie qui se veut différente de celle proposée au Maroc (couscous au poisson, fruits de mer et vins locaux);
- durant la période hivernale, il est de bon ton de fréquenter simplement les ateliers de poteries de Nabeul ou de Djerba, et ce, sans être obligé d'acheter;
- de nombreuses plages en Tunisie ne sont pas uniquement réservées aux

touristes. Résultat: pendant l'hiver, il y a beaucoup d'espaces à partager avec les résidants, ce qui peut donner lieu à des rencontres agréables;

- l'état des routes est excellent. Cependant, il est déconseillé de s'aventurer seul sur les pistes du désert. Prendre part alors à une méharée au départ de Douz jusqu'à Ksar Ghilane;

- ceux qui veulent éviter les touristes se retrouvent sur les îles de Kerkenna, au large de Sfax;

- comme au Maroc, observez le mois du ramadan, période durant laquelle le pays se recueille.

■ Où se renseigner et carnet de contacts

Office National du Tourisme Tunisien
1253 avenue McGill College, bureau 655
Montréal, QC H3B 2Y5
☎ 514-397-1182
▤ 514-397-1647
www.tourismtunisia.com
tunisinfo@qc.aira.com

Office National du Tourisme Tunisien
32 avenue de l'Opéra
75002 Paris
☎ 01 47 42 72 67
▤ 01 47 42 52 68
ontt@wanadoo.fr

Office National du Tourisme Tunisien
Galerie Ravenstein 60
1000 Bruxelles
☎ (32-2) 511-1142/2893/514-5642
▤ (32-2) 511-3600
tourismetunisien@skynet.be

Office National du Tourisme Tunisien
Tunesisches Fremdenverkehrsburo
69 Bahnhofstrasse
8001 Zurich
☎ (41-1) 211-4830/4831
▤ (41-1) 212-1353
fmami@tunisie.ch

Sur Internet

- *www.tunisie.com*
- *www.cap-tunisie.com/html/dyna-golf.asp* (terrains de golf)
- *www.imarabe.org*

L'Océanie

OCÉAN PACIFIQUE

1. Adelaide
2. Brisbane
3. Cairns
4. Christchurch
5. Coromandel
6. Gold Coast
7. Milford Sound
8. Rotorua
9. Sydney
10. Tasman Bay et Nelson
11. Tasmania
12. Tongario National Park
13. Westland National Park

ÎLES SAMOA

ÎLES FIDJI

ÎLES SALOMON

PAPOUASIE-NOUVELLE-GUINÉE

INDONÉSIE

NOUVELLE-CALÉDONIE

Wellington

NOUVELLE-ZÉLANDE

Mer de Tasman

AUSTRALIE

Canberra

OCÉAN INDIEN

OCÉAN INDIEN

© ULYSSE

L'Océanie

L orsque le «long-séjouriste» type visite les différentes parties de l'Australie et de la Nouvelle-Zélande, il a des allures de nomade pendant plusieurs semaines. En Australie, il a même droit à son appellation, le *grey nomad*, en référence à la couleur de ses cheveux et à sa manière de voyager à travers le pays. Car généralement, la clientèle en est souvent une de retraités. Mais pour une clientèle plus jeune, on parle ici de sacs à dos, de forfaits aériens et de voyages en train en direction nord comme en direction sud.

Australie

*Personne n'est plus sourd que
celui qui ne veut pas entendre.*
- proverbe australien

■ Le long séjour à l'australienne...

Plusieurs «long-séjouristes» font des pauses dans des villes comme Sydney, Adélaïde, Brisbane ou Cairns, pour ensuite s'enfoncer dans des régions moins urbaines. Effectivement, «long-séjourner» en Australie c'est s'adonner plus souvent qu'autrement à l'écotourisme orienté vers la mer ou vers l'*outback* (l'arrière-pays) devenu marque de commerce. Avec découverte des aborigènes à la clé... Même si la barrière de corail est «survisitée» ou «surplongée», elle n'en reste pas moins un point de mire pour ceux qui font un long séjour dans ce pays-continent. Dernière destination à la mode à l'intérieur du pays, la Tasmanie, pour sa faune et sa flore exceptionnelles. Enfin, une autre façon de découvrir le pays consiste à visiter l'une de ses nombreuses fermes d'élevage. Ici, moutons et bovidés se comptabilisent quelquefois à vue d'hélico. Kangourous et koalas, qui sont, avec le boomerang et le didjeridoo (instrument de musique aborigène), des incontournables.

On parle donc d'écotourisme, mais aussi de plus en plus d'un tourisme d'observation de la faune et de la flore. L'Australie déploie en effet des efforts afin de mieux structurer son offre et la rendre encore plus accessible. Dans la foulée, le pays a récemment créé la Wildlife Tourism Association et, avec elle, trois routes thématiques qui présentent les meilleurs lieux pour l'observation de la faune: l'Adelaide's Wildlife Trail, la Queensland Wildlife Trail et la Tasmania Wildlife Trail.

Côté pratique, on peut aussi profiter des forfaits du transporteur aérien Qantas *(www.qantas.com)*. Avantages: parcourir plus facilement l'intérieur du pays et se déplacer plus rapidement d'un endroit à l'autre grâce à une mobilité accrue.

■ L'hébergement long séjour

En Australie, dormir dans un *bed and breakfast* ne signifie pas spécialement coûts d'hébergement moins élevés. Surtout si vous sortez des grandes villes et que vous vous retrouvez dans une *farm house* perdue dans le *bush* – autre appellation désignant l'arrière-pays peu habité, aussi dite «écozone australienne» – et qui pratique des prix prohibitifs sans pour autant offrir de services. Beaucoup de ces *farm houses* se font une idée grandiloquente de leur environnement et s'alignent sur les tarifs des gros hôtels qui offrent pourtant beaucoup plus de services.

Il existe pourtant une gamme de lieux d'hébergement qui tiennent un peu des hôtels et beaucoup des auberges de jeunesse. Les «long-séjouristes» nomades ne sont pas obligés de dormir en dortoir, mais le prix demeure avantageux. Le site Internet *www.hostelbookers.com* répertorie ce genre d'hébergement à Cairns et à Sydney, et donne, pour chaque type d'établissement, la liste des services offerts et leur situation dans la ville.

La location à la semaine ou au mois d'un appartement est également possible notamment sur la Gold Coast, et ce, à des prix raisonnables. Une référence parmi d'autres: appartements et petites annonces à Sydney par le site *http://sydney.quiveut.com*. Enfin, quelques terrains de camping agrémentent l'Australie: *www.campingo.com.*

■ On retient l'attention sur…

- Le soin à apporter pour choisir un circuit pour chaque région choisie;
- le fait d'oublier la randonnée à pied, car les distances sont énormes;
- les sculptures, gravures et peintures sur bois fabriquées par les aborigènes;
- les pierres précieuses (opales);
- les formules auto-tours (ex.: avion, camping et location de voitures ou de véhicules récréatifs) proposées au départ des grandes villes;
- le bateau *Spirit of Tasmania*, qui relie Melbourne au nord de la Tasmanie trois fois par semaine;
- les parcs de Sydney (Hyde Park, The Domain et les Royal Botanic Gardens) ainsi que les maisons du quartier de Paddington. Pour les plages, celles de Bondi, Tamarama et Bronte sont d'excellents endroits.

«Cochez oui, cochez non»

Les tentants…

> une population qui aime les visiteurs étrangers;
> la facilité à se déplacer d'un point à un autre, même éloigné;
> la variété des paysages;
> la protection de la nature;
> des offres pour le golf, la pêche et les parcs d'attractions portés sur la faune;
> les produits de consommation courante abordables;
> le sentiment de sécurité général.

Les irritants…

> les excursions et les produits d'artisanat assez onéreux.

■ Où se renseigner et carnet de contacts

Tourism Australia
111 Peter Street, Suite 630
Toronto, ON M5V 2H1
☎ 416-408-0549 ou 877-733-2878
🖷 416-408-1013
www.australia.com
info@australia.com

Office du tourisme australien
11 bis rue Blanche
75009 Paris
☎ 08 00 91 56 26 ou 01 53 25 11 11

Sur Internet

- *www.tourism.australia.com*
- *www2.australia.com*

- *www.intair.com/fr/tours/boomerang.php* (notamment pour appartements)
- *www.aussie.net.au*
- *www.thegreynomads.com.au*
- *www.travelnt.com* (territoire du Nord)
- *www.tourism.nsw.gov.au* (New South Wales)
- *www.queenslandholidays.com.au* (Queensland)
- *www.discovertasmania.com.au* (Tasmanie)
- *www.visitvictoria.com* (Victoria)
- *www.westernaustralia.com* (Australie de l'Ouest)

Nouvelle-Zélande

Vivre dans l'indifférence, c'est vivre dans le seul enfer que je connaisse. - Katherine Mansfield

■ Le long séjour à la néo-zélandaise...

La nature est l'argument principal de toute visite en Nouvelle-Zélande. Une douzaine de parcs nationaux viennent mettre en valeur les montagnes, les glaciers, les lacs et les forêts avec des lois sur la protection de la nature fort sévères. Le meilleur moment pour aborder le pays est entre décembre et février, dans les deux régions distinctes que sont l'île du Nord, appelée «île fumante», et l'île du Sud, appelée «île de Jade».

Plusieurs «long-séjouristes» déposent leurs bagages à Auckland ou à Christchurch, mais la plupart visitent le pays à travers ses principales attractions: parcs, montagnes, etc. Quant aux produits de voyage offerts par l'industrie, certains appellent à l'originalité, comme celui où l'on parcourt le pays en moto. On ne le fera peut-être pas sur un ou deux mois, mais l'idée n'est pas bête pour une partie du long séjour.

Enfin, notez l'existence de lieux où l'on peut faire du tourisme créatif. Au menu: créer soi-même un bijou avec les pierres de la région, sculpter des os, tresser un panier traditionnel... Ces possibilités sont offertes par Creative Tourism New Zealand *(www. creativetourism.co.nz)* et visent à faire découvrir la diversité culturelle de la Nouvelle-Zélande par des ateliers d'une durée de deux heures à quatre jours. Ces ateliers portent tantôt sur l'art, tantôt sur les traditions de la culture maorie, sur les fibres et la laine, sur la flore et la faune ou sur la cuisine régionale.

■ L'hébergement long séjour

Une des solutions les plus populaires adoptées par les «long-séjouristes» est la location de *campervans*. Une référence: *www.nztravelhouse.com*. Cette popularité n'est pas arrivée seule: en ce qui a trait à la conduite automobile, la Nouvelle-Zélande est un paradis du panneau indicateur. Chaque virage voit afficher la recette idéale pour le négocier...

«Cochez oui, cochez non»

Les tentants...
> des paysages à photographier d'urgence;
> des aînés qui ont le sens des légendes;
> des habitants qui aiment leur pays et qui savent le raconter.

Les irritants...
> une société un peu enfermée dans de vieux principes anglo-saxons;
> l'agneau à toutes les sauces et les soirées maories à toutes les danses.

Pour les cartes routières, la carte *New Zealand*, chez Nelles Maps, demeure utile pour les grandes directions et les points d'intérêt. Autre suggestion: la *AA New Zealand Road Map* pour plus de détails. Aussi, le guide Jasons *Holiday Parks and Campgrounds*, distribué gratuitement dans les aéroports et les offices de tourisme. La plupart des sites sont répertoriés et correctement classés. Le *AA Maui Motorhomes, New Zealand Travel Guide* répertorie aussi tous les sites d'intérêt.

Au registre des bonnes adresses d'hébergement, les petits budgets se trouvent notamment en naviguant sur le site de la Budget Backpacker Hostel New Zealand *(www.bbh.co.nz)*. De son côté, l'association néo-zélandaise des auberges de jeunesse (Youth Hostels Association) regroupe une soixantaine d'établissements répartis dans tout le pays. On peut consulter la liste sur son site à l'adresse *www.yha.co.nz*.

■ On retient l'attention sur...

· Les sources d'eau chaude autour de Rotorua;
· les geysers de Lady Knox et de Pohutu;
· les fjords sur la côte de la mer de Tasman;
· les chutes de Sutherland;
· les plages de la presqu'île de Coromandel et dans la baie de Tasman, à Nelson (les eaux sont plutôt froides);
· l'observation des dauphins et des baleines au nord de Christchurch;
· le Tongariro National Park, pour la randonnée et le ski;
· les glaciers du Westland National Park;
· le nombre élevé de moutons dans les prés (proportion de 20 moutons par habitant).

■ Où se renseigner et carnet de contacts

Bureau du Tourisme de la Nouvelle-Zélande
222 East 41st Street, Suite 2510
New York, NY 10017
☎ 212-661-7088 ou 866-639-9325
▤ 212-832-7602
www.newzealand.com
laxinfo@nztb.govt.nz

Office de tourisme de Nouvelle-Zélande
A/S Ambassade de Nouvelle-Zélande
7 ter, rue Léonard de Vinci
75116 Paris
☎ 01 45 00 24 11
▤ 01 45 01 26 39

Sur Internet

· *www.intair.com/fr/tours/boomerang.php*
· *www.kiwicoachpass.co.nz* (pour circuler en autocar à travers le pays, avec notamment la Kiwi Coach Pass distribuée par la compagnie Mount Cook Lines)
· *www.kiwicombopass.co.nz* (location combinée voiture et hébergement)

Références

Index

Nos coordonnées

Nos bureaux

Canada: Guides de voyage Ulysse, 4176, rue Saint-Denis, Montréal (Québec) H2W 2M5,
☎514-843-9447, fax: 514-843-9448, info@ulysse.ca, www.guidesulysse.com
Europe: Guides de voyage Ulysse sarl, 127, rue Amelot, 75011 Paris, France,
☎01 43 38 89 50, voyage@ulysse.ca, www.guidesulysse.com

Nos distributeurs

Canada: Guides de voyage Ulysse, 4176, rue Saint-Denis, Montréal (Québec) H2W 2M5,
☎514-843-9882, poste 2232, fax: 514-843-9448, info@ulysse.ca, www.guidesulysse.com
Belgique: Interforum Bénélux, 117, boulevard de l'Europe, 1301 Wavre, ☎010 42 03 30,
fax: 010 42 03 52
France: Interforum, 3, allée de la Seine, 94854 Ivry-sur-Seine Cedex, ☎01 49 59 10 10,
fax: 01 49 59 10 72
Suisse: Interforum Suisse, ☎(26) 460 80 60, fax: (26) 460 80 68
Pour tout autre pays, contactez les Guides de voyage Ulysse (Montréal).

Écrivez-nous

Tous les moyens possibles ont été pris pour que les renseignements contenus dans ce guide
soient exacts au moment de mettre sous presse. Toutefois, des erreurs peuvent toujours se
glisser, des omissions sont toujours possibles, des adresses peuvent disparaître, etc.; la responsabilité de l'éditeur ou des auteurs ne pourrait s'engager en cas de perte ou de dommage qui
serait causé par une erreur ou une omission.

Nous apprécions au plus haut point vos commentaires, précisions et suggestions, qui permettent l'amélioration constante de nos publications. Il nous fera plaisir d'offrir un de nos guides aux
auteurs des meilleures contributions. Écrivez-nous à l'une des adresses suivantes, et indiquez le
titre qu'il vous plairait de recevoir.

Guides de voyage Ulysse	**Les Guides de voyage Ulysse, sarl**
4176, rue Saint-Denis	127, rue Amelot
Montréal (Québec)	75011 Paris
Canada H2W 2M5	France
www.guidesulysse.com	www.guidesulysse.com
texte@ulysse.ca	voyage@ulysse.ca

Pour en savoir davantage...

Guides de voyage Ulysse

Arizona et Grand Canyon
29,95 $ – 23,99 €

Chili
34,95 $ – 24,99 €

Comprendre la Chine
16,95 $ – 14 €

Costa Rica
29,95 $ – 22,99 €

Cuba
29,95 $ – 22,99 €

Floride
27,95 $ – 22,99 €

Guadeloupe
27,95 $ – 19,99 €

Martinique
27,95 $ – 19,99 €

Panamá
29,95 $ – 22,99 €

République dominicaine
24,95 $ – 22,99 €

Sud-Ouest américain
37,95 $ – 24,99 €

Tunisie
32,95 $ – 23,99 €

Journaux de voyage Ulysse

Journal de voyage
Amérique centrale et
Mexique
17,95 $ – 17,99 €

Journal de voyage Europe
17,95 $ – 17,99 €